به نام خدا

جودی دنیا را نجات می‌دهد

مگان مک دونالد

ترجمه‌ی محبوبه نجف‌خانی

تصویرگر: پیتر اچ. ری‌نولدز

کتاب‌های فندق

سرشناسنامه: مک‌دونالد، مگان، ۱۹۵۹ - م. Mcdonald Megan
عنوان و نام پدیدآور: جودی مشهور می‌شود / مگان مک‌دونالد؛ ترجمه‌ی محبوبه نجف‌خانی؛ تصویرگر: پیتر اچ.ری‌نولدز
مشخصات نشر: تهران: افق، کتاب‌های قندق، ۱۳۸۶.
مشخصات ظاهری: ۱۵۲ ص.: مصور
فروست: رمان کودک؛ ۲۰. جودی دمدمی؛ ۳.
شابک: 978-964-369-351-0
وضعیت فهرست‌نویسی: فیپا
یادداشت: عنوان اصلی: Judy Moody saves the world
یادداشت: گروه سنی ج.
موضوع: داستان‌های تخیلی
موضوع: داستان‌های ماجراجویانه آمریکایی
شناسه افزوده: ری‌نولدز، پیتر، ۱۹۶۱ - م تصویرگر. Reynolds, peter
شناسه افزوده: نجف‌خانی، محبوبه، ۱۳۳۵ - ، مترجم
رده‌بندی دیویی: ۱۳۸۶ ج ۷۳۵۶۴۶ م ۱۳۰ دا
شماره کتابشناسی ملی: ۳۹۳۴۸ - ۸۶ م

جودی دمدمی / ۳

جودی دنیا را نجات می‌دهد

رمان کودک / ۲۰

نویسنده: مگان مک دونالد
مترجم: محبوبه نجف‌خانی
ویراستار: مژگان کلهر
تصویرگر: پیتر اچ. ری‌نولدز
گرافیک جلد: حسین نیلچیان

حروف‌چینی، تصحیح و صفحه‌آرایی: آتلیه‌ی نشر افق
شابک: ۰-۳۵۱-۳۶۹-۹۶۴-۹۷۸
چاپ سیزدهم: ۱۳۹۲، ۵۰۰۰ نسخه
لیتوگرافی: سیب چاپخانه: کاج، تهران

۶۵۰۰ تومان

کتاب‌های قندق
واحد کودک
موسسه‌ی نشر افق

تهران، ص.پ. ۱۱۳۵ - ۱۳۱۴۵
تلفن ۶۶۴۱۳۳۶۷
www.ofoqco.com
info@ofoqco.ir

تقدیم به تمام کتابدارانی که با تمام وجود معتقدند یک داستان خوب می‌تواند دنیا را نجات دهد!

پیتر اچ. ری‌نولدز

افتخارات:

___ منتخب بوک سنس ۷۶

ــ بهترین کتاب کودکان و نوجوانان به انتخاب کتابخانه‌ی عمومی شیکاگو.

ــ برنده‌ی جایزه‌ی انجمن بین‌المللی خواندن به انتخاب کودکان.

ــ برنده‌ی جایزه‌ی مهر طلایی اپن هایم توی پورت فولیو.

فهرست

کی کیه

جودی

قهرمان و زباله‌شناس،
مشهور به دمدمی بودن

بابا

پدر جودی،
عاشق قهوه‌های
جنگل‌های استوایی

ماما

مادر جودی
که باید یک چیزهایی
درباره‌ی بازیافت یاد بگیرد

استینک

برادر کوچک‌تر جودی،
دیوانه‌ی خفاش‌ها و
عروسک خرسی

موشی

گربه‌ی جودی
عاشق موز

راکی
بهترین دوست جودی
که در ردیابی سمندر
حرف ندارد

قور قوری
علامت خوش شانسی
انجمن ج ـ ق
که نسلش در خطر است

آقای تاد
معلم جودی،
رهبر گروه محیط زیستِ
کلاس سوم ت

جسیکا
همکلاسی جودی،
طرفدار خوک و کشته
مرده‌ی مداد

فرانک
دوست جودی که کلکسیون
تمبر دارد و یک چیزهایی
درباره‌ی صدف‌های سیاه
صورت میمونی می‌داند

درباره‌ی نویسنده

مگان مک دونالد در کودکی

مگان مک دونالد، نویسنده‌ی مجموعه کتاب‌های جودی دمدمی، که جوایز معتبر بسیاری کسب کرده است، می‌گوید: «گاهی فکر می‌کنم که جودی دمدمی خودم هستم. بی‌شک، خودم هم مثل جودی، دمدمی هستم. جودی همیشه نظرش را می‌گوید و حرف دلش را می‌زند. و من از این کارش خوشم می‌آید.»

اما حرف دل خود را زدن، همیشه کار آسانی نیست. مگان مک دونالد در خانواده‌ای پرجمعیت و کتاب‌خوان در پیتزبورگ واقع در پنسیلوانیا به دنیا آمد. او پنجمین و کوچک‌ترین دختر

خانواده بود. پدرش لوازم آهنی می‌ساخت و در شهرشان چند پل فلزی ساخته بود و در میان همکارانش به "جانی کوچولوی قصه‌گو" شهرت داشت.

هر شب، خانواده‌ی مک دونالد، در آشپزخانه، سرِ میز شام دور هم می‌نشستند و قصه می‌گفتند. اما مگان با وجود چهار خواهر بزرگ‌ترش، همیشه در حاشیه قرار داشت. او می‌گوید: «من لکنت زبان پیدا کردم و به همین علت، مادرم به من دفتر یادداشتی داد تا هرچه را که می‌خواستم بگویم، توی آن بنویسم!»

در بزرگسالی

مگان در رشته‌ی زبان و ادبیات انگلیسی از کالج ابرلین فارغ‌التحصیل شد و مدرک فوق‌لیسانس خود را در رشته‌ی کتابداری از دانشگاه پیتزبورگ دریافت کرد. وقتی به کلاس داستان‌نویسی می‌رفت، استادش به او گفت که به خانه برود و تمام شعرهایی را که تابه‌حال نوشته، پاره کند. به او گفت که او بیشتر یک "نثرنویس" است تا شاعر. مگان به خانه

رفت و در فرهنگ لغات، معنی کلمه‌ی "نثرنویس" را پیدا کرد و تازه آن‌موقع متوجه شد که منظور استادش چه بوده است! قبل از آنکه مگان به کار نویسندگی بپردازد، در موزه، کتابخانه و کتاب‌فروشی کار کرده بود. حتی مدتی هم به شغل قصه‌گویی و نگهبانی پارک اشتغال داشت.

مگان نویسنده

مگان مک دونالد، اولین تجربه‌ی نویسندگی خود را در سن ۱۰ سالگی، در روزنامه‌ی مدرسه‌اش منتشر کرد. از آن زمان تابه‌حال، حدود بیست‌وپنج کتاب برای کودکان نوشته که از جمله می‌توان به ماجراهای شاد و طنزآمیز َجودی دمدمی اشاره کرد که بیشتر ماجراهای آن را از خاطرات دوران کودکی خود الهام گرفته است.

مگان می‌گوید: «من آدم خوش‌شانسی هستم که نویسنده‌ام، چون می‌توانم روزها در تخیلاتم به سر برم و با لباس راحتی خانه سرِ کارم بروم! می‌توانم روزها مثل یک زاهد گوشه‌ای بنشینم، یا پنگوئن کوچولوی آبی‌رنگی

۱۱

باشم، و یا دختری که حشره‌ها را دوست دارد. می‌توانم وانمود کنم که یک خواهر بزرگ رئیس‌مآب هستم و برادر کوچولویی به نام استینک دارم. و یا فکر کنم که دختر نوجوانی هستم و به سال ۱۸۴۸ سفر کنم. من روزها وقتم را صرف این می‌کنم که اشیا را از زاویه‌های مختلف ببینم و آن‌ها را از بالا به پایین و برعکس می‌کنم و درباره‌ی همه‌چیز از خودم سؤال می‌کنم و همیشه دلم می‌خواهد درون همه‌چیز را ببینم.»

نظر مگان مک دونالد درباره‌ی "دمدمی بودن" و خواهرها و برادرها

روزی وقتی از مدرسه‌ای بازدید می‌کردم و با بچه‌هایی در سن‌وسال‌های مختلف گفت‌وگو می‌کردم، به این فکر افتادم که داستانی درباره‌ی دمدمی بودن بنویسم. بچه‌ها اغلب از من می‌پرسیدند: «آیا تابه‌حال برای‌تان پیش آمده که بی‌حوصله باشید؟ آیا شده که در موقع عصبانیت کتاب بنویسید؟»

این موضوع در من انگیزه ایجاد کرد تا شخصیتی را با تمام حالت‌های خوب، بد، شاد و غمگینش خلق کنم، که در

واقع به خلق شخصیت پراُفت‌وخیز جودی دمدمی انجامید.

وقتی به گذشته و دوران کودکی‌ام برمی‌گردم و خودم را به‌عنوان آخرین دختر خانواده می‌بینم، حسابی عصبانی می‌شوم. زمانی پیش می‌آمد که خانواده‌ام در تعطیلات به کنار دریا می‌رفت و من مجبور می‌شدم در خانه، پیش عمه‌ی کمی خُلم بمانم و تا دوران نوجوانی، هرگز دریا را ندیده بودم! تا اینکه روزی همگی به واشینگتن.دی.سی رفتیم. خواهرهایم به بازدید کاخ سفید، محل زندگی رئیس‌جمهور رفتند، اما من چون خیلی کوچک بودم، نتوانستم بروم. پس توی خانه ماندم و وقتی خواهرهایم برگشتند، حقه‌ی دست مصنوعی را روی‌شان پیاده کردم. (همان حقه‌ای که جودی به استینک زد). و فراموش نمی‌کنم که آن‌وقت‌ها، مادرم برای همه‌ی ما لباس مخصوص هالووین می‌دوخت. اما من چون چهار خواهر بزرگ‌تر داشتم، لباس‌های‌شان به من می‌رسید و من مجبور بودم که لباس‌های کهنه‌شان را بپوشم، طوری که بعد از مدتی، از فکر اینکه باز هم باید آن لباس‌ها را بپوشم، به قول جودی "حالم به‌هم می‌خوردا!"

می‌دانید چیه؟ من کتابی هم درباره‌ی همین ماجرا نوشته‌ام که به زودی چاپ می‌شود.

چیزهایی که درباره‌ی مگان مک دونالد نمی‌دانید:

ـ هر کتابی را که می‌خواهد شروع کند، روی دستمال سفره می‌نویسد.

ـ کتاب مورد علاقه‌ی زمان کودکی‌اش، "هریت، جاسوس مدرسه"، نوشته‌ی لوئیس فیتنر هیوست.

ـ او عضو دائمی انجمن جیش قورباغه است.

ـ وقتی به دنیا آمد، چون پنجمین دختر بود، دکتر به شوخی فریاد زد: «پسر است!»

ـ او عاشق بستنی است. ـ (به‌خصوص بستنی "اسکریمین می‌می")، برای همین یک روز که دنبال کامیون بستنی می‌دوید، از تپه‌ای پرت شد و دست‌وپایش حسابی زخمی شد و آن‌ها را بخیه زدند!

ـ او دوتا سگ، دوتا اسب و پانزده‌تا غاز وحشی در خانه‌اش دارد که هر صبح غازها روی بام خانه‌اش می‌نشینند

و او را از خواب بیدار می‌کنند.

ــ حقه‌ی دست مصنوعی پلاستیکی یکی از بهترین شوخی‌های دوران کودکی‌اش است. اگر جلد اول جودی دمدمی را بخوانید، با ماجرای آن آشنا می‌شوید.

ــ وسط اسمش "جو" است. مگان یک‌بار تصمیم گرفت که نام مگان جو ایمی بت مک دونالد را روی خودش بگذارد که اسم‌های چهار خواهر کتاب زنان کوچک لوئیزا می الکوت است.

ــ وقتی دختربچه بود، کلکسیونی از حشرات، خلال دندان‌های تزئینی، پوست زخم‌های خشک شده و کله‌ی عروسک باربی داشت.

ــ یک‌بار وقتی در کتاب‌فروشی کار می‌کرد، دزدی را که دو کیسه کتاب دزدیده بود و می‌خواست با دوچرخه‌اش فرار کند، تعقیب کرد و او را گرفت.

مگان مک دونالد با همسر، دو سگ، دو اسب و پانزده غاز وحشی‌اش در سباستوپول واقع در کالیفرنیای آمریکا زندگی می‌کند.

درباره‌ی تصویرگر

پیتر اچ. ری‌نولدز، تصویرگر مجموعه کتاب‌های جودی دمدمی است. او درباره‌ی این کتاب می‌گوید: «بعد از تصویرگری کتاب‌های جودی دمدمی، چنان جودی، خانواده و دوستانش را می‌شناختم که هنر بی‌اختیار از قلمم سرازیر می‌شد. "جودی دمدمی دکتر می‌شود"، تمام ذهن و وجودم را پر کرده بود. رؤیای جودی که می‌خواست با استفاده از استعدادش به درمان دیگران بپردازد، پیام نیرومندی می‌دهد. من همیشه با دیدن کسانی که آرزوهای بزرگی برای آینده در سر می‌پرورانند، به شوق می‌آیم ـ به‌خصوص که کلاس سومی باشند!»

پیتر اچ. ری‌نولدز، در دِدهام ماساچوست آمریکا، در همسایگی برادر دوقلویش زندگی می‌کند.

مسابقه‌ی چسبِ زخم محشر

جودی دمدمی نمی‌خواست دنیا را نجات بدهد، بلکه فقط می‌خواست توی مسابقه برنده شود. آن هم مسابقه‌ی چسب زخم.

جودی درِ کیف وسایل پزشکی‌اش را باز کرد. جعبه‌ی چسب زخم محشرش کجا بود؟ چکش کوچولویی را که مخصوص امتحان کردن واکنش‌های بدن بود، برداشت.

استینک که داشت وارد اتاق جودی می‌شد، پرسید: «هی، می‌شود امتحانش کنم؟»

ــ استینک، تا حالا چیزی در مورد تق‌تق شنیده‌ای؟

استینک گفت: «معلومه. کیه؟»

جودی گفت: «منظورم این جوک بی‌مزه نیست. منظورم کاری است که یک برادر کوچک‌تر قبل از وارد شدن به اتاق خواهر بزرگ‌ترش باید بکند.»

استینک پرسید: «یعنی باید اول جوک بگویم، بعد بیایم تو اتاقت؟»

جودی گفت: «ول کن بابا.»

استینک پرسید: «چی را ول کنم؟»

جودی گفت: «استینک! فقط بنشین روی تخت و پاهایت را ضربدری بنداز روی هم. می‌خواهم واکنش پاهایت را امتحان کنم.»

استینک گفت: «تو را خدا کارهای دکتری روی من نکن!»

جودی گفت: «یالا استینک، بجنب.» بعد با چکش روی زانوی استینک ضربه زد. پای استینک یک‌دفعه بالا پرید و خورد به پای جودی.

جودی گفت: «هی، استینک! به من لگد می‌زنی؟ خیال می‌کنی کی هستی، کاسو واری؟»

ـ چی چی واری؟

ـــ کاسو ـ واری. توی کتاب علوم خواندم. اسم یکی از پرنده‌های جنگل‌های استوایی است که چون نمی‌تواند پرواز کند، به دشمن‌هایش لگد می‌زند.

استینک گفت: «من کاسو نمی‌دانم چی‌چی نیستم. فقط واکنش‌های بدنم خوب است.»

جودی یکی از آن چشم‌غره‌های مار کبرایی‌اش را به استینک نشان داد و چکش را گذاشت کنار و گفت: «بی‌خیال بابا.»

استینک رفت سراغ وسایل دکتری جودی و چند تا چسب زخم محشر بیرون آورد.

ـــ استینک! مگه نگفته بودم چسب زخم‌های محشرم را کِش نرو؟! حالا این جعبه خالی است، خالیِ خالی. بهت گفته بودم اگر چیزمیزای مرا کش بروی، دستت را باندپیچی می‌کنم و می‌اندازم به گردنت.

استینک دلش نمی‌خواست دوباره دستش را به گردنش بیندازند. به خصوص وقتی که دستش نشکسته باشد.

جودی که دستش را دراز کرده بود تا جعبه را بگیرد،

گفت: «بده به من. می‌خواهم شرایط مسابقه را بخوانم.»

استینک پرسید: «مسابقه؟ باید چه‌کار کنیم؟»

جودی روی جعبه را خواند:

به مناسبت پنجمین سالگرد تأسیس چسب زخم محشر، چسب زخمی را طراحی کنید و در مسابقه‌ی بزرگ ما شرکت کنید

برای طراحی چسب زخمِ خودتان می‌توانید از مداد، مدادشمعی یا ماژیک استفاده کنید.

اول موضوعی پیدا کنید و بعد طرح‌تان را بکشید. جسارت داشته باشید. از تخیل‌تان استفاده کنید.

استینک گفت: «یعنی ما یک نقاشی می‌کشیم که روی چسب زخم محشر چاپ می‌شود؟ آن‌وقت چی می‌بریم؟»

جودی به خواندن ادامه داد:

سیزده تا از بهترین طرح‌ها برای چاپ روی چسب زخم محشر انتخاب می‌شوند. فقط فکرش را بکنید... تمام کودکان سراسر کشور از چسب زخم‌های محشری استفاده خواهند کرد که طرح خلاقانه و شاد شما روی آن‌هاست.

استینک گفت: «همه‌اش همین بود؟»

جودی گفت: «معرکه است! من، جودی دمدمی، می‌توانم چسب زخمی با طراحی خودم داشته باشم.»

استینک که جعبه را از دست جودی می‌قاپید، گفت: «باید یک جایزه‌ای، چیزی هم بدهند.»

ـ فقط فکرش را بکن. روی تمام زانوها، قوزک‌ها، آرنج‌ها و خلاصه همه‌جا، چسب زخم‌هایی می‌چسبانند که نقاشی اصل جودی دمدمی رویش چاپ شده. حتی الیزابت بلک ول، اولین دکتر زن هم چسب زخمی با نقاشی خودش نداشت.

استینک گفت: «وای جانمی‌جان! حالا قبل از اینکه خیلی مشهور بشوی، می‌گذاری از ماژیک‌های باریکت استفاده کنم؟»

جودی پرسید: «برای چی؟»

ـ خوب من هم می‌خواهم برای چسب زخم محشر نقاشی بکشم. اینجا نوشته جایزه‌ی اول یک جفت کفش اسکیت است.

ـ کفش اسکیت! بده ببینم.

جایزه‌ی نفر اول چسب زخم محشر، یک جفت کفش اسکیت به اضافه‌ی چاپ نقاشی‌اش روی چسب زخم به مدت یک سال.

جایزه‌ی نفرات بعدی چسب زخم محشر، یک عینک آفتابی به اضافه‌ی چاپ نقاشی‌شان روی چسب زخم به مدت یک ماه.

به تمام شرکت‌کنندگان تقدیرنامه داده می‌شود.

ـ خوابش را ببینی، استینک. توی تمام کشور فقط یک
بچه می‌تواند این کفش اسکیت را ببرد.

ـ خب؟

ـ خب یک نگاهی به بچه‌هایی که پارسال برنده شدند،
بینداز. همه‌شان ده‌یازده ساله بودند. حتی یکی‌شان سیزده
ساله بود. یعنی نوجوان. تو تازه هفت سالت است.

استینک گفت: «و سه ماه.»

جودی گفت: «از نظر آن‌ها کار تو باید یک‌جورهایی
مثل کارهای پیکاسو باشد تا نقاشی‌ات را انتخاب کنند.»

ـ از نظر کی‌ها؟

ـ همان‌هایی که آدم‌های آبی می‌کشند.

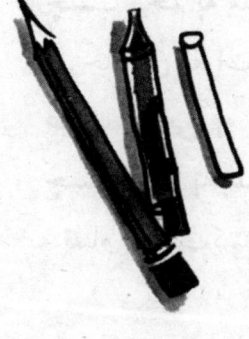

ـ پس ماژیک آبی‌ات را به من
قرض بده.

جودی هرچه ماژیک و مدادرنگی
و مدادشمعی و پاستل داشت، کف
اتاق ریخت. استینک، چشمش به
اولین ماژیک آبی که افتاد، نقاشی‌اش

را شروع کرد.

ــ داری چی می‌کشی؟

استینک گفت: «خفاش. خفاش‌های آبی.»

جودی گفت: «تو خُلی. مردم از خفاش خوش‌شان نمی‌آید.»

استینک گفت: «اما خفاش‌ها یک‌عالمه حشره می‌خورند. مردم باید خیلی از خفاش‌ها خوش‌شان بیاید.»

جودی گفت: «خودم می‌دانم، فقط می‌خواهم بگویم که خفاش‌های جناب‌عالی نمی‌توانند من نوجوانْ را شکست بدهند.» استینک همچنان مشغول رنگَ کردن خفاش‌ها بود.

جودی گفت: «خفاش‌های تو گوش‌های خیلی بزرگی دارند.»

ــ چون خفاش‌های گوش‌گنده‌ی ویرجینیا هستند.

جودی گفت: «هِه!»

استینک هنرمند خوبی بود، اما جودی دلش نمی‌خواست که او فکر کند نابغه است. جودی باید روی یک طرح خوب پیکاسویی فکر می‌کرد. طرحی که خیلی بهتر از این خفاش‌های چندش‌آور باشد. قوی‌تر از کار یک نوجوان

باشد. اصلاً بهتر از تمام نوجوان‌های دنیا باشد. دلش می‌خواست همه در سرتاسر کشور چسب زخم‌های محشر جودی دمدمی‌اش را ببینند.

جودی گفت: «استینک، این‌قدر جیرجیر نکن.»

ـــ تقصیر این ماژیک است.

جودی گفت: «با این‌همه صدای جیرجیر، نمی‌توانم کار کنم.»

جودی بعضی از نقاشی‌های برنده‌ی سال پیش را روی جعبه نگاه کرد: پینه‌دوز، گل، توپ فوتبال، رنگین‌کمان و علامت‌های صلح. شاد، شادِ شاد. جودی سعی کرد برای نقاشی روی چسب زخمش به چیز شادی فکر کند.

بعد صورت‌های خندان کشید. صورت‌های خندان زرد، قرمز، آبی، سبز و بنفش و زیرشان نوشت: **«چسب زخم‌های محشر، بداخلاقی را درمان می‌کنند.»**

استینک گفت: «همه صورت‌های خندان می‌کشند.»

جودی گفت: «کی‌ها؟»

ـــ هیتر استرانگ که توی کلاس ماست و همه‌ی نوجوان‌ها.

استینک راست می‌گفت. صورت‌های خندان آن‌قدر خوب
نبودند که مچ پای میلیون‌ها نفر را تزئین کنند و تازه، برنده‌ی
کفش اسکیت هم بشوند. اصلاً یک کار پیکاسویی هم نبود.

جودی طراحی چسب زخمش را سروته کرد. صورت‌های
خندان تبدیل به صورت‌های اخمو شدند.

استینک گفت: «هیچ‌کس دلش یک چسب زخم اخمو
نمی‌خواهد.»

جودی گفت: «غررر!»

استینک گفت: «اگر نقاشی‌ات پیام داشته باشد، آن‌ها

بیشتر خوش‌شان می‌آید. اما در مورد این خفاش‌ها هیچ پیامی به فکرم نمی‌رسد.»

ـ این چطور است: **خفاشی محشر می‌کند!**

استینک گفت: «عالیه، خیلی ممنون.»

استینک نقاشی چسب زخم محشرش را تمام کرد، اما جودی حتی یک ایده‌ی کوچک هم به ذهنش نرسیده بود. حتی یک فکر خوب هم به سرش نزده بود.

گفت: «خیلی خب. برویم پستش کنیم.»

هوای تازه! خودش بود! شاید مغز جودی کمی اکسیژن تازه لازم داشت.

سر راه پستخانه، استینک پرسید: «فکر می‌کنی من برنده بشوم؟»

جودی گفت: «فکر می‌کنی من چی هستم؟ یک پیشگو؟»

استینک که نامه‌اش را توی صندوق بزرگ آبی می‌انداخت،
پرسید: «چقدر طول می‌کشد؟»

جودی گفت: «کمتر از یک ثانیه.»

سر راه خانه، جودی کلی نفس عمیق کشید و هوای
تازه بلعید.

استینک گفت: «قیافه‌ات شبیه ماهی‌های قرمز روی کاشی
توالت شده.»

فایده‌ای نداشت. حتی هوای تازه هم کمکی نکرد، فقط
کمی او را شبیه ماهی‌های کاشی توالت کرده بود.

نقاشی چسب زخم محشر استینک توی صندوق پست
بود. اگر استینک مسابقه را ببرد، چی؟ اگر اصلاً و اصلاً
فکری به ذهنش نرسد، چی؟

او، جودی دمدمی، حالش حسابی گرفته بود.

خفاش یا پوست موز

حتی تمام روز شنبه و یکشنبه هم یک فکر بکر جایزه‌بر درباره‌ی چسب زخم محشر به ذهن جودی نرسید. صبح روز دوشنبه، همین‌که پایش را به ایستگاه اتوبوس گذاشت، جریان مسابقه را برای بهترین دوستش راکی تعریف کرد و گفت: «تو را خدا کمکم کن تا موضوعی پیدا کنم.»

راکی گفت: «فهمیدم. چسب زخم نامرئی‌شونده چطوره؟ آن را روی دستت می‌گذاری و چون شفاف است، نامرئی می‌شود.»

جودی گفت: «معرکه است! یک چسب زخم محشر نامرئی! عالیه!»

استینک گفت: «خب اگر کسی نتواند آن را ببیند، آن‌وقت چطوری می‌خواهی مسابقه را ببری؟»

جودی که همه‌ی جوانب را در نظر می‌گرفت، گفت: «راست می‌گویی. من دلم می‌خواهد همه‌ی دنیا چسب زخم محشر جودی دمدمی، برنده‌ی جایزه‌ی بزرگ را ببینند.»

✾

در مدرسه، جودی دل تو دلش نبود که از فرانک پرل بپرسد فکر تازه‌ای دارد یا نه، اما زنگ خورده بود و او نمی‌توانست خطر کند و برای حرف زدن یک کارت سفید دیگر بگیرد.

قبلاً به‌خاطر گرفتن سه تا کارت سفید، مجبور شده بود بعد از زنگ آخر در مدرسه بماند و با آقای تاد حوضچه‌ی ماهی‌ها را تمیز کند. مگر یک نفر چندتا حوضچه‌ی بوگندوی ماهی را می‌توانست تمیز کند؟

اما درعوض، یادداشتی درباره‌ی مسابقه نوشت و دست‌به‌دست به فرانک رساند. پایین یادداشت نوشت: «پ. ن. لطفاً نگذار جسیکا فینچ این یادداشت را ببیند.»

آقای تاد گفت: «خوب بچه‌ها، این زنگ علوم داریم. بهتر است بحث‌مان را درباره‌ی محیط زیست ادامه بدهیم. جنگل‌های استوایی در همه‌جای دنیا دارند از بین می‌روند. وقتی دارید دارو می‌خرید یا توپی را به زمین می‌زنید، یا بادکنکی را می‌ترکانید، دارید از چیزهایی استفاده می‌کنید که از جنگل‌های استوایی به دست می‌آید و درست همین جا در شهرمان، درخت‌ها را قطع می‌کنند و به جایش فروشگاه می‌سازند، حیوانات دارند ناپدید می‌شوند و برای دفن زباله‌های‌مان دیگر جا نداریم.

بیایید امروز همه دست‌به‌دست هم بدهیم و برای نجات

کره‌ی زمین راهی پیدا کنیم. بعضی وقت‌ها خوب است که از چیزهای کوچک شروع کنیم. به کارهایی فکر کنیم که می‌توانیم توی خانه انجام بدهیم. در خانواده‌مان و در مدرسه. کسی فکری دارد؟»

هیلی گفت: «چراغ‌ها را بیخودی روشن نگذاریم.»

فرانک گفت: «دفترهای مشق‌مان را بازیافت کنیم.»

لیو گفت: «و همین‌طور قوطی‌های کنسرو و بطری و از این‌جور چیزها را.»

راکی گفت: «زباله‌های‌مان را به خاک تبدیل کنیم.»

آقای تاد گفت: «درسته. به این کار می‌گویند کودسازی.»

جودی دستش را بالا برد و با این کار یادداشتش روی زمین افتاد. گفت: «درخت‌کاری.»

جسیکا فینچ گفت: «آشغال نریز.»

جودی که یادداشتش را از روی زمین بر می‌داشت، گفت: «من آشغال نمی‌ریزم.» و فامیلی فینچ را از جلوی اسم جسیکا خط زد و به جایش نوشت: جسیکا خنج خبرچین. ایش. گاهی این جسیکا خنج خبرچین تمام فکرش را اشغال می‌کرد.

آقای تاد گفت: «آفرین! تمام این چیزها فکرهای خوبی‌اند. به اطراف‌تان خوب نگاه کنید. توی خانه، مدرسه، زمین بازی، البته نه فقط در کلاس علوم بلکه برای همیشه. چطوری می‌توانیم به سیاره‌مان کمک کنیم؟ چطوری می‌توانیم دنیای اطراف‌مان را بهتر کنیم؟ هر کدام می‌توانیم سهمی در این کار داشته باشیم. و همه‌ی این‌ها بستگی به این دارد که یک نفر تغییری به وجود بیاورد.»

یک نفر! اگر همه‌ی این چیزها بستگی به یک نفر دارد، پس او، جودی دمدمی، می‌توانست دنیا را نجات بدهد.

او دقیقاً می‌دانست از کجا باید شروع کند، از پوست موز.

٭

بعدازظهر آن روز، جودی در راه خانه از راکی پرسید: «هی، می‌توانی یک سر بیایی خانه‌ی ما و چند تا موز بخوری؟»

راکی گفت: «البته، برای چی؟»

جودی گفت: «برای کودسازی.»

راکی گفت: «من دو تا می‌خورم!»

توی آشپزخانه‌ی جودی این‌ها، راکی و جودی هرکدام یکی و نصفی موز خوردند. آن‌ها چهارمین و آخرین موز را به موشی، گربه‌ی جودی دادند. بعد جودی پوست‌های هرچهار موز را توی سطل آشغال انداخت.

راکی گفت: «چطوره علامتی روی سطل بگذاریم و رویش بنویسیم: زباله‌ها را به کود تبدیل می‌کند.»

جودی گفت: «معرکه است! فردا می‌توانیم به آقای تاد بگوییم که چطور درمان دنیا را شروع کرده‌ایم.»

راکی گفت: «با حال، ضرب‌در دو.»

جودی گفت: «یک دقیقه صبر کن. چرا قبلاً به این فکر

نیفتاده بودم؟ دنیا را درمان کنید. خودش است.»

ـ چی خودش است؟

ـ نقاشی چسب زخم. برای مسابقه‌ی چسب زخم محشر!

جودی از پله‌ها بالا دوید و با چند ورق کاغذ و ماژیک برگشت. سر میز آشپزخانه، راکی برای سطل کودساز علامتی درست کرد و جودی عکس کُره‌ی زمین را کشید که رویش چسب زخم داشت. بعد با خط خوانا زیر کره‌ی زمین نوشت: **"دنیا را درمان کنید"** بعد دورتادور دنیا عکس پوست موز کشید.

استینک وارد آشپزخانه شد و از جودی پرسید: «داری چی می‌کشی؟»

جودی گفت: «پوست موز.»

راکی گفت: «برای مسابقه‌ی چسب زخم محشر.»

استینک گفت:«آن‌وقت می‌گویی خفاش‌ها عجیب‌وغریبند؟ پوست‌های موز که از خفاش‌ها هم مسخره‌ترند.»

بعد نگاهی به کاسه‌ی خالی روی میز انداخت و گفت: «آهای، کی آخرین موز را خورده؟»

جودی گفت: «موشی!» جودی و راکی از خنده روی زمین ریسه رفتند.

استینک گفت: «امکان ندارد.»

جودی گفت: «فقط به سبیل‌هایش نگاه کن.»

استینک رو به روی موشی روی زمین زانو زد و گفت: «دارم شاخ درمی‌آورم! به سبیل‌های موشی موز له شده چسبیده!»

جودی گفت: «من که بهت گفتم.»

استینک گفت: «به مامان می‌گویم که شما همه‌ی موزها را خوردید و یکی هم به موشی دادید.»

جودی گفت: «به مامان بگو که همه‌ی این‌ها به‌خاطر

علم بوده. می‌دانی، از حالا به بعد قرار است ما یک تغییراتی
این دوروبرها بدهیم.»

راکی گفت: «داریم کود درست می‌کنیم. ببین.» و علامت
را بالا گرفت.

استینک گفت: «صد سال طول می‌کشد تا زباله‌ها تبدیل
به کود بشوند.»

ـ استینک، اگر همین‌طور اینجا وایستی، تو هم تبدیل
به کود می‌شوی. مگر اینکه وانمود کنی که یک درختی و
سایه‌ی مبارکت را از سرِ ما کم کنی.

در حال‌وهوای آقای آشغالی

صبح روز بعد، وقتی جودی از خواب بیدار شد، هوا هنوز تاریک بود. او چراغ‌قوه و دفتر یادداشتش را برداشت. بعد پاورچین‌پاورچین از پله‌ها پایین آمد و به آشپزخانه رفت تا نجات دنیا را شروع کند.

دلش می‌خواست تا قبل از صبحانه، دنیا را نجات بدهد. جودی توی این فکر بود که نکند کسان دیگری هم که دارند دنیا را جای بهتری می‌کنند، مجبور شده باشند بی‌سروصدا و در تاریکی این کار را بکنند تا مبادا خانواده‌شان بیدار شوند.

او، جودی دمدمی، در حال‌وهوای آقای آشغالی بود. آقای آشغالی، یک جن خوب زباله، توی کتاب مصور استینک بود

که از کارتن‌های سیب‌زمینی سرخ‌کرده و شیشه‌های نوشابه برای خودش خانه ساخته بود. او همه‌چیز را بازیافت می‌کرد، حتی چوب‌های آب‌نبات چوبی را. و هرگز از چیزی استفاده نمی‌کرد که مال جنگل‌های استوایی باشد.

ـ هوم... چیزهایی که از جنگل‌های استوایی می‌آیند. برای شروع جای خوبی است. لاستیک از جنگل‌های استوایی به دست می‌آید. و همین‌طور شکلات و ادویه و چیزهایی مثل عطر، یا حتی آدامس.

جودی از دوروبر خانه چیزهای مختلفی را جمع کرد و روی میز آشپزخانه ریخت. تخته‌های شکلات، جعبه‌ی بیسکویت شکلاتی، بستنی وانیلی. دانه‌های قهوه‌ی پدرش. لوله بازکن لاستیکی توالت. دستگاه آدامس توپی پرت‌کن استینک. لوازم آرایش مامانش از توی کیفش. او آن‌قدر سرگرم نجات جنگل‌های استوایی بود که متوجه نشد اعضای خانواده‌اش به آشپزخانه آمده‌اند.

مامان گفت: «چه‌کار داری...؟»

بابا چراغ را روشن کرد و گفت: «جودی، چرا توی

دانه قهوه
عطر
بیسکویت شکلاتی
آدامس
شکلات

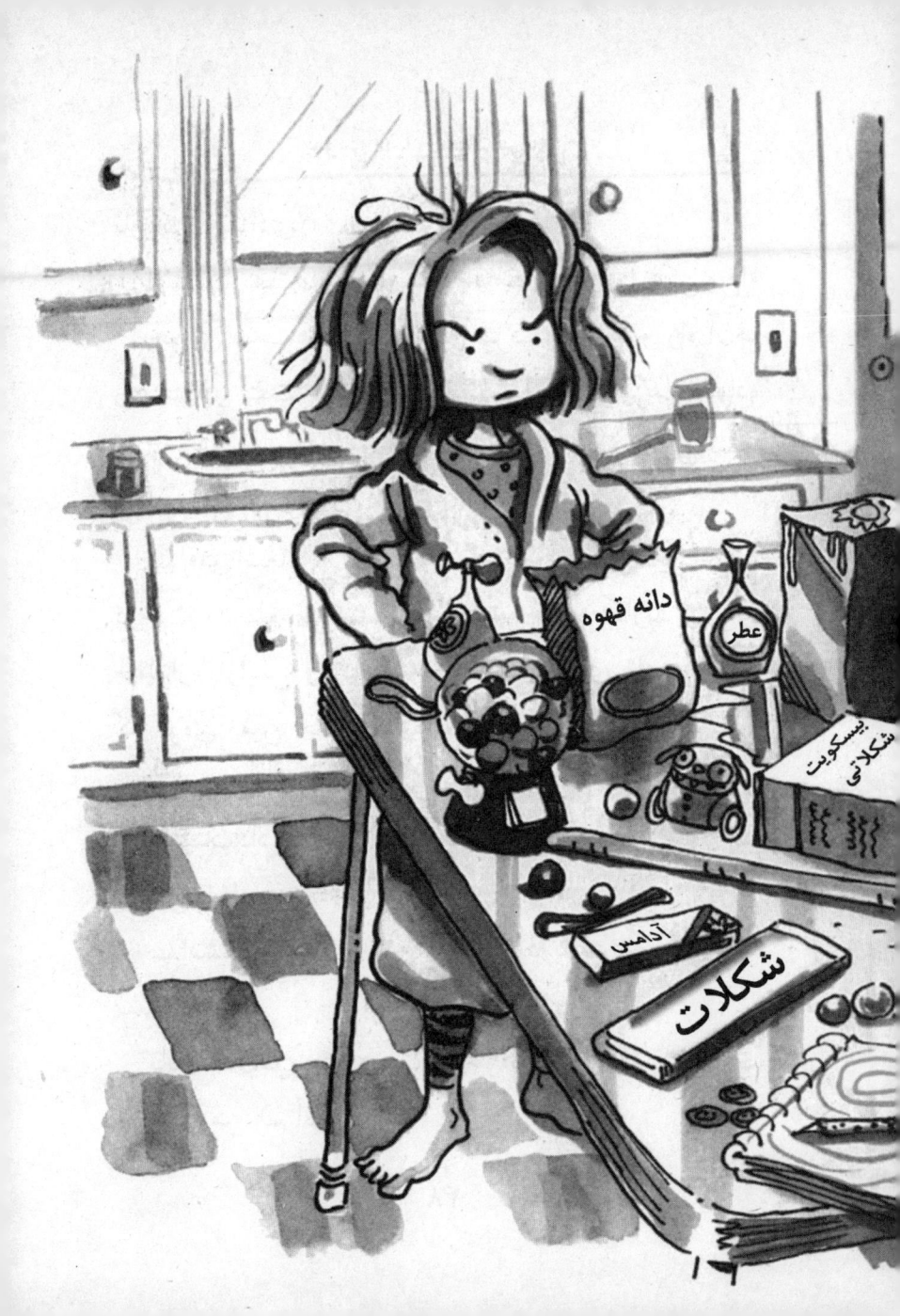

تاریکی ایستادی؟»

استینک گفت: «هِی، دستگاه آدامس توپی پرت‌کن من!»

جودی دست‌هایش را به دو طرف باز کرد و راه آن‌ها را بست و گفت: «دیگر قرار نیست از این چیزها استفاده کنیم. همه‌ی این‌ها از جنگل‌های استوایی به دست می‌آیند.»

استینک گفت: «کی می‌گوید؟»

ــ آقای آشغالی می‌گوید و همین‌طور آقای تاد. یک‌عالمه درخت را قطع می‌کنند تا به جایش قهوه بکارند و برای ما لوازم آرایش و آدامس تولید کنند. آقای تاد می‌گوید که کره‌ی زمین خانه‌ی ماست. باید دست به کار شویم و نجاتش بدهیم. ما همه‌ی این چیزها را لازم نداریم.

استینک داد زد: «من آدامس‌هایم را می‌خواهم! آدامس‌هایم را پس بده!»

ــ استینک داد نزن. تا حالا چیزی درباره‌ی آلودگی صدا نشنیده‌ای؟

بابا همان‌طور که دست به موهایش می‌کشید، گفت: «قهوه‌ی من هم آنجاست؟»

ــ جودی؟ ببینم، این بستنی است؟ دارد می‌چکد روی
میز!

مامان قوطی بستنی‌ای را که آب شده بود و چکه می‌کرد،
به‌طرف ظرف‌شویی برد.

ــ ز ز ز ز ــ ز ز ز ز.

جودی از خودش صدای اره‌برقی را درآورد که درخت‌ها
را قطع می‌کند.

استینک گفت: «قاتی کرده.»

بابا جعبه‌ی بیسکویت شکلاتی را توی قفسه گذاشت.
مامان لوله‌بازکن توالت را از روی میز آشپزخانه برداشت
و یک‌راست به‌طرف دست‌شویی رفت.

حالا وقت اجرای نقشه‌ی شماره‌ی دو بود. پروژه‌ی ب
ـ ا ـ ز ـ ی ـ ا ـ ف ـ ت. او، جودی دمدمی، به اعضای
خانواده‌اش نشان می‌داد که آن‌ها چقدر به سیاره‌شان صدمه
می‌زنند. هر بار، تا کسی چیزی بیرون می‌انداخت، او آن را
یادداشت می‌کرد. بعد دفتر یادداشتش را برداشت و توی
سطل زباله را نگاه کرد و فهرست زیر را یادداشت کرد:

جودی گفت: «استینک! نباید بلغور جوی مانده و چسبناک را توی سطل زباله بیندازی!»

ــ بابا، بهش بگویید که جاسوسی مرا نکند!

جودی گفت: «من کارآگاه زباله هستم! یا به قولی زباله‌شناس. آقای تاد می گوید اگر بخواهید یاد بگیرید که چه چیزی را بازیافت کنید، باید زباله‌تان را بشناسید.»

استینک چیز خمیری و خیسی را زیر دماغ جودی گرفت و گفت: «بیا، آشغال سیب مرا بشناس.»

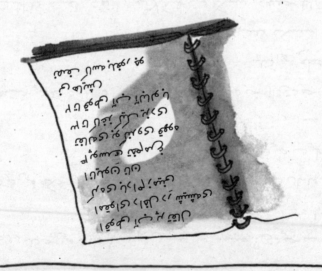

جودی گفت: «هرهر خندیدم. ببینم، کسی توی این خانواده تا حالا سه کلمه‌ی معروفی را که با "باز" شروع می‌شود، نشنیده؟»

بابا پرسید: «سه کلمه که با "باز" شروع می‌شود؟»

ــ بازیافت، بازسازی.

استینک گفت: «سومی‌اش چیه؟»

ــ بازآموزی برادرهای کوچک‌تر تا یاد بگیرند و خرت‌وپرت‌هایشان را دور نیندازند.

ــ مامان! اگر جودی باز سراغ سطل زباله برود، دیگر خرت‌وپرت‌هایم را آن تو نمی‌ریزم.

جودی گفت: «یک نگاهی به آت‌وآشغال‌هایی که دور می‌اندازیم، بکنید! می‌دانستید که هر شخص، روزانه حدود سه‌ونیم کیلو آشغال تولید می‌کند؟»

مامان گفت: «ما تمام شیشه‌ها و قوطی‌های کنسرو را بازیافت می‌کنیم.»

بابا گفت: «و روزنامه‌ها و مجله‌ها را.»

جودی یک کیسه‌ی نایلونی از توی سطل زباله بیرون

کشید و گفت: «اما این را چه می‌گویید؟ این نایلون نان می‌تواند یک کیف بشود، یا می‌شود تویش کتاب گذاشت و به کتابخانه برد.»

استینک پرسید: «برای پوست تخم‌مرغ‌ها هم فکری داری؟ تفاله‌ی بوگندوی قهوه چطور؟»

ـ می‌شود آن‌ها را جای غذا پای درخت‌ها ریخت. یا باهاشان کود درست کرد.

درست همان لحظه، توی سطل زباله چشمش به چیزی افتاد. یک‌عالمه چوب بستنی چوبی. جودی آن‌ها را بیرون کشید و گفت: «هِی! کلبه‌ی چوبی‌ای که کلاس دوم درست کردم!»

استینک گفت: «به‌نظر من که شبیه یک موزه‌ی چسب است.»

مامان گفت: «ببخش جودی، باید قبلاً از تو می‌پرسیدم، اما ما نمی‌توانیم هر چیزی را نگه داریم، عزیزم.»

استینک گفت: «بازیافتش کن! می‌توانی از آن به عنوان آتش‌گیرانه برای روشن کردن آتش استفاده کنی! یا خردش

کنی و با آن‌ها خلال‌دندان درست کنی.»

ـ لوس نشو استینک.

بابا گفت: «جودی، هنوز برای رفتن به مدرسه آماده نشده‌ای. بهتر است درباره‌ی این موضوع بعداً حرف بزنیم. فعلاً برو حاضر شو.»

فایده‌ای نداشت. کسی به حرفش گوش نمی‌کرد. جودی سلانه‌سلانه از پله‌ها بالا رفت، احساس می‌کرد مثل یک خرس تنبل بدون درخت است.

مامان از پایین پله‌ها بلند گفت: «اگر آرایش نکردن من خوشحالت می‌کند، امروز آرایش نمی‌کنم.»

بابا گفت: «من هم نصف فنجان قهوه می‌خورم.» اما جودی از میان سروصدای دستگاه قهوه خردکن که داشت قهوه‌های جنگل‌های استوایی را خرد می‌کرد، به زحمت می‌توانست صدای بابا را بشنود.

خانواده‌اش خوب می‌دانستند که چطوری حال‌وهوای آقای آشغالی را خراب کنند. او شلوار جین و تی‌شرت جغددارش را پوشید. و برای صرفه‌جویی در مصرف آب،

دندان‌هایش را مسواک نزد.

بعد با قیافه‌ی از ــ دست ــ همه ــ عصبانی، با قدم‌های سنگین از پله‌ها پایین رفت.

مامان گفت: «این هم ناهارت.»

ــ مامان، چرا توی پاکت گذاشتید؟

استینک گفت: «اشکالش چیه؟»

جودی گفت: «نمی‌فهمی؟ برای درست کردن پاکت درخت‌ها را قطع می‌کنند. درخت‌ها سایه دارند. آن‌ها گرم‌شدن کره‌ی زمین را کنترل می‌کنند. ما بدون درخت می‌میریم. آن‌ها اکسیژن تولید می‌کنند و گردوخاک را از هوا می‌گیرند.»

مامان گفت: «گردوخاک! خب، اگر قرار است درباره‌ی گردوخاک صحبت کنیم، بهتر است درباره‌ی تمیز کردن اتاقت هم صحبت کنیم.»

ــ ما... مان!

چطور می‌توانست کار مهمی مثل نجات درختان را انجام بدهد، درحالی‌که حتی نمی‌توانست درخت خانواده‌اش را نجات بدهد؟ دیگر بس بود. جودی یک‌راست به انباری

۵۵

توی پارکینگ رفت و ظرف غذای مهدکودکش را برداشت که عکس زیبای خفته روی آن بود.

استینک پرسید: «ببینم، واقعاً خیال داری ظرف غذای بچگی‌ات را ببری توی اتوبوس؟ آنجا همه‌ی دنیا می‌بینندت!»

جودی گفت: «امروز می‌خواهم با دوچرخه بروم تا در مصرف سوخت صرفه‌جویی کنم.»

استینک دستی را که با آن پاکت غذا را گرفته بود، به‌طرف او تکان داد و گفت: «پس توی مدرسه می‌بینمت.»

آخ که جودی چقدر دلش می‌خواست برادر کوچکش را بازیافت کند.

جودی گفت: «باشه، هر کاری دلت می‌خواهد، بکن. یک ضد درخت باش. مسئولیتش به گردن خودت!»

واقعاً که دنیا را جای بهتری کردن، کار خیلی خیلی سختی بود.

زیبای
خفته

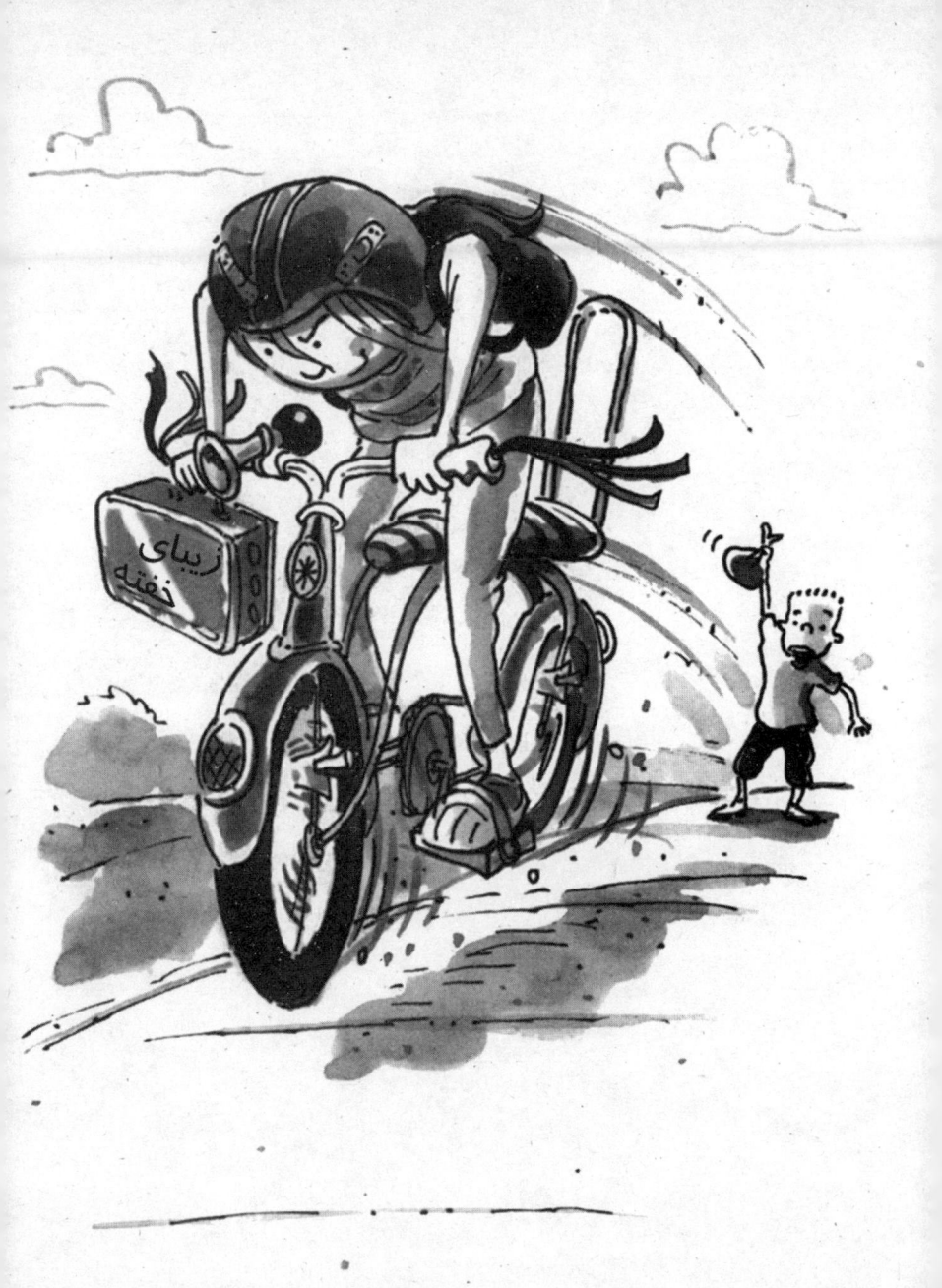

صدف‌های براق انگشت خوکی، شیرهای کوهی و صدف‌های پشت خال‌خالی

توی مدرسه، جودی تمام مدت زنگ ریاضی وول خورد. سر زنگ هجی کلمات هم همین‌طور به خود پیچید. و بالاخره نوبت درس علوم شد.

آقای تاد گفت: «نیمی از گیاهان و حیوانات دنیا را می‌توان توی جنگل‌های استوایی پیدا کرد. به همین دلیل، حمایت از جنگل‌های استوایی این‌قدر مهم است. سلامت تمام سیاره‌ی ما به این جنگل‌ها بستگی دارد. اما می‌دانستید که نسل بعضی از گونه‌ها درست همین‌جا، توی ویرجینیا، در معرض خطر است؟»

نسل گونه‌ها در خطر است! درست همین جا، در ویرجینیا!

جودی روی صندلی‌اش به جلو خم شد.

ـ اگر بخواهیم از سیاره‌مان مراقبت کنیم، می‌توانیم از حیاط خانه‌مان شروع کنیم. برای همین، از همه‌ی شما می‌خواهم که هر کدام حمایت از یک حیوان بومی ویرجینیا را که نسلش در خطر است، به عهده بگیرید. بعد درباره‌ی آن گونه به ما بگویید که چرا نسلش دارد ناپدید می‌شود و برای نجات آن چه کاری می‌شود کرد.

حمایت از یک حیوان را به عهده بگیریم! او می‌توانست به یک گونه‌ی در معرض خطر کمک کند. او، جودی دمدمی، می‌توانست به تمام شهر و استانش کمک کند!

آقای تاد داشت یک قوطی قهوه را تکان می‌داد.

ـ روی هر تکه کاغذ، نام حیوانی که نسلش در خطر است، نوشته شده. اسم هر کسی را که صدا زدم، می‌آید اینجا و از توی قوطی یک تکه کاغذ برمی‌دارد. کی می‌خواهد اولین نفر باشد؟

همه‌ی دست‌ها بالا رفت.

ـ راکی.

جغد خال خالی

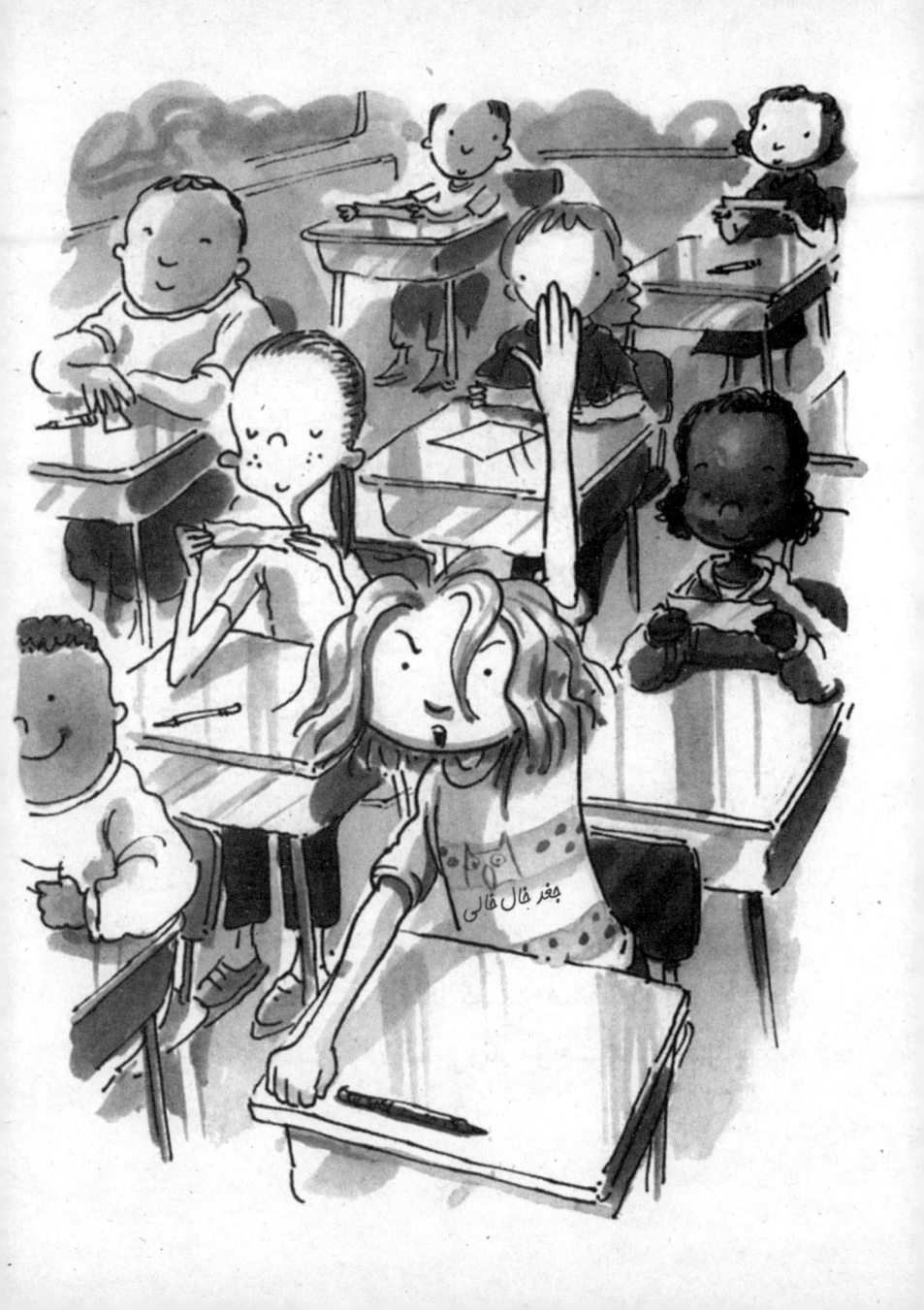

راکی تکه‌کاغذی از توی قوطی برداشت و گفت: «سمندر شِنان دوا.»

ــ فرانک پرل.

ــ صدف صورت میمونی!

معرکه است! جودی دستش را مثل پرچم در هوا تکان داد. اما باز هم آقای تاد اسمش را صدا نزد.

عقاب سر سفید آمریکایی به براد افتاد و شیر کوهی به هیلی و لاک‌پشت دریایی پشت چرمی به رَندی.

ــ جسیکا فینچ.

جسیکا گفت: «صدف براق انگشت خوکی.»

جودی به‌جز جسیکا فینچ، کس دیگری را سراغ نداشت که این‌قدر حمایت از صدف براق انگشت خوکی را دوست داشته باشد.

وقتی آقای تاد داشت اسم بچه‌های دیگر را صدا می‌کرد، جودی برگشت و به جسیکا گفت: «صدف براق انگشت خوکی، ناخن‌هایش را لاک می‌زند.» و غش‌غش خندید.

ــ جودی دمدمی.

۶۲

جودی برگشت. او تنها کسی بود که هنوز دستش بالا بود. آقای تاد گفت: «فقط یکی مانده. بیا اینجا.»

بالاخره! جودی کاغذ تا شده را باز کرد و خواند: «سوسک راه‌راه ساحل شمال شرقی.»

سوسک راه‌راه ساحل شمال شرقی! سوسک راه‌راه ساحل شمال شرقی حتی یک حیوان هم نبود. یک حشره بود. یکی از آن جک و جانورهای چلغوز چنگولک.

جودی گفت: «اگر از حیوان خودمان خوش‌مان نیاید، می‌شود آن را تاخت بزنیم؟»

آقای تاد گفت: «من دلم می‌خواهد هر کدام‌تان انتخاب خودتان را نگه دارید.»

جودی گفت: «اگر به عمرمان اسم همچین حیوانی را نشنیده باشیم، چی؟ اگر حتی ندانیم چه شکلی است، چی؟»

آقای تاد گفت: «جالبی‌اش هم به همین است. جوابش را پیدا کنید. به کتابخانه بروید و به کتاب‌ها و مجله‌ها نگاه کنید. یا به اتاق کامپیوتر بروید و از اینترنت تحقیق کنید. این پنجشنبه هم برای گردش علمی به موزه می‌رویم که حتماً درباره‌ی

حیواناتی که انتخاب کرده‌اید، اطلاعاتی به شما می‌دهد.»

فرانک پرسید: «موزه‌ی کوچک یا موزه‌ی بزرگ؟»

آقای تاد گفت: «موزه‌ی کوچک.» و بچه‌ها غرغر کردند.

موزه‌ی بزرگ یعنی موزه‌ی اسمیت سانیان در واشینگتن دی. سی.، یا موزه‌ای که همه جور هواپیما تویش پیدا می‌شود. موزه‌ی کوچک یعنی همین موزه‌ی پایین خیابان که فقط قطارهای اسباب‌بازی، دایناسورهای پلاستیکی و عکس‌هایی از جاها و چیزهای مختلف صد سال پیش ویرجینیا دارد.

راکی گفت: «بهترین آثار باستانی آنجا، تار عنکبوت‌هایش است.»

❋

روز پنجشنبه، جودی به احترام سوسک راه‌راه، شلوار خانه‌ی راه‌راهش را پوشید. در موزه، آقای تاد، خانم مسئول موزه را به بچه‌های کلاس معرفی کرد و گفت: «ایشان خانم چوبین هستند و قرار است در مورد گونه‌هایی که نسل‌شان در ویرجینیا دارد از بین می‌رود، اطلاعاتی به شما بدهند.»

خانم چوبین درست شکل یک حشره‌ی چوب‌کبریتی

بود. حتی جوراب‌هایش هم قهوه‌ای بود.

خانم حشره‌ی چوب‌کبریتی گفت: «مرا استفانی صدا کنید.»

آقای تاد گفت: «بچه‌ها، از شما انتظار دارم که مثل یک شاگرد کلاس سومی حرف گوش کن، به حرف‌های خانم استفانی خوب گوش بدهید.» فرانک وانمود کرد که گوش‌هایش را می‌کَنَد و آن‌ها را به دست خانم استفانی می‌دهد. جودی غش‌غش خندید.

خانم استفانی حشره چوب‌کبریتی، آن‌ها را به قسمت جایی که وحشی‌ها نیستند، برد و یک سمندر شِنان دُوای زنده‌ی واقعی را نشان‌شان داد که از حلزون‌های مخصوص کوه‌های اطراف ویرجینیا بود و خیلی هم کُند و تنبل به‌نظر می‌رسید؛ و همین‌طور یک سنجاب پرنده‌ی خشک شده که به تخته‌ای چسبانده بودند.

فرانک پرسید: «سنجاب پرنده! اسمش راکی است؟ مثل کارتون راکی و بول وینکل؟»

خانم حشره چوب‌کبریتی گفت: «بله. راستش را بخواهید،

جایی که
وحشی‌ها
نیستند
راکی

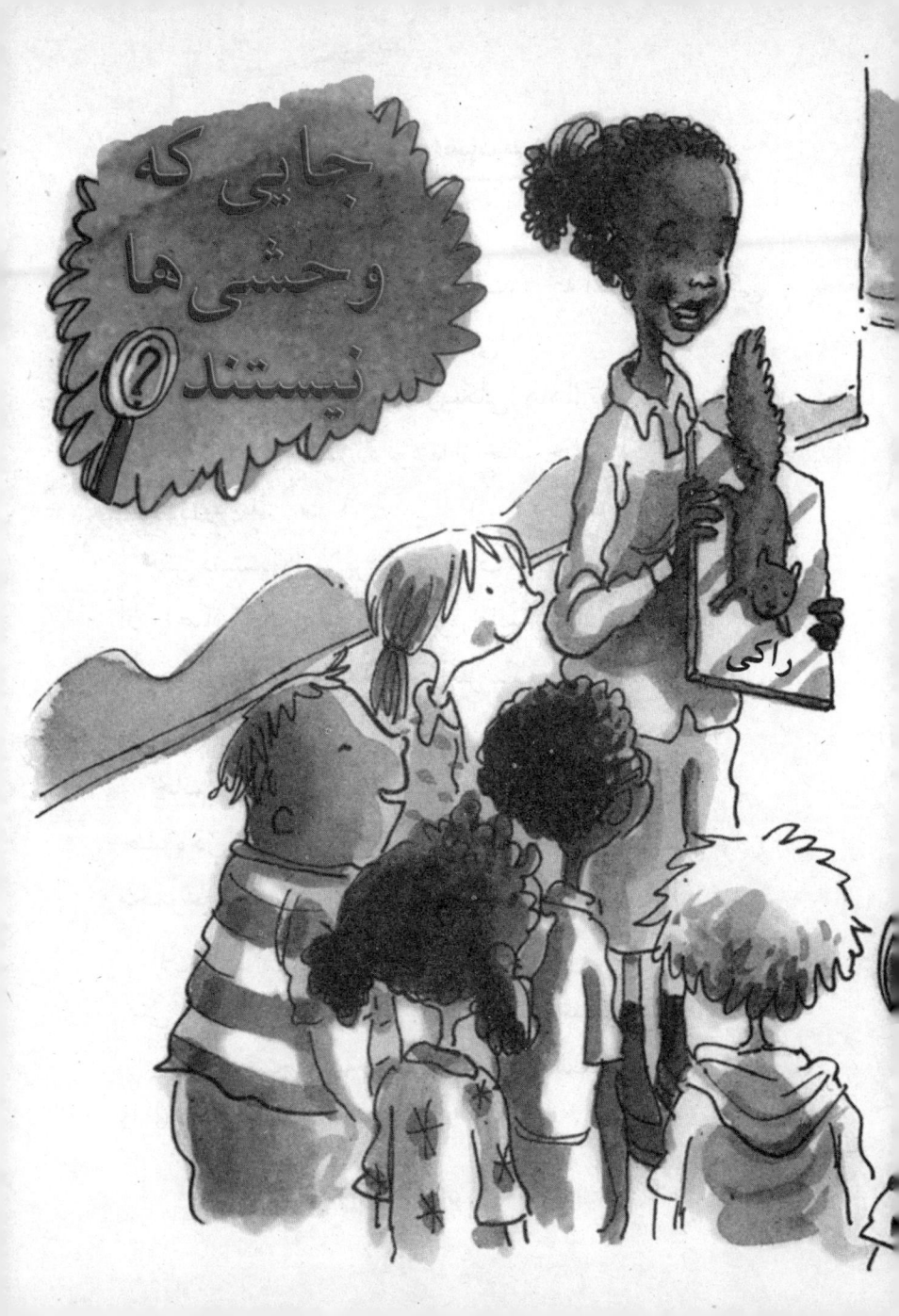

همین‌طور است.»

فرانک راکی را نشان داد و گفت: «آخه اسم او هم راکی است! آهای راکی، تو یک سنجابی!»

راکی گفت: «تو هم بول وینکلی! هاها! تو یک گوزنی!»

جودی دلش لک زده بود تا از خانم حشره چوب کبریتی سؤالی بپرسد.

پس دستش را بالا برد و عین یک ماهی خاویار دماغ کوتاه آن را صاف نگه داشت. بالاخره خانم استفانی او را صدا زد.

جودی گفت: «شما اینجا سوسک راه‌راه ساحل شمال شرقی دارید؟»

خانم استفانی گفت: «نه، متأسفانه نداریم. نسل این حشره در ویرجینیا دارد نابود می‌شود و گونه‌ی خوبی برای مجموعه‌ی ماست.»

این چه موزه‌ی گونه‌های در معرض خطر است که حتی یک سوسک راه‌راه ساحل شمال شرقی هم ندارد؟

جسیکا فینچ همه‌چی‌دان پرسید: «شما جورپایان هم دارید؟»

راکی پرسید: «جون‌پایان دیگه چیه؟»

خانم استفانی جواب داد: «جورپایان جانورانی سخت‌پوست هستند، درست مثل شپشه‌ی چوب می‌مانند. یک چیزی مثل خرخاکی. می‌توانید این حشرات را در تالار عنکبوتیان پیدا کنید.»

راکی گفت: «اَخ! شپشه همان شپشک است.»

جودی هنوز سر درنمی‌آورد که چرا آن‌ها یک‌عالمه جنبنده‌های سخت‌پوست، جورپایان شپشکی و خرخاکی داشتند، اما سوسک راه‌راه ساحل شمال شرقی نداشتند.

جودی دوباره دستش را بالا برد. دلش می‌خواست عین جسیکا فینچ باهوش به‌نظر بیاید.

گفت: «ببخشید. شما اینجا تنبل دو انگشتی دارید؟ یا زنجره‌های درختی استوایی؟ یا آی‌آی شبگرد؟»

خانم حشره چوب‌کبریتی گفت: «ما اینجا گونه‌های جنگل‌های استوایی را نداریم. اما فکر خیلی خوبی است. شاید یک روز این کار را بکنیم.»

تمام بچه‌های کلاس باید به صدف سیاه‌پشت خال‌خالی

لبه نارنجی دست می‌زدند و بعد به داستان غمگینی درباره‌ی
یک حشره‌خوار باتلاقی گوش می‌دادند.

فرانک پرسید: «انگار اینجا همه‌چیز در خطر است.»

جودی گفت: «نمره‌ی علوم من هم در خطر است.»

وضعیت اضطراری سوسک

صبح روز بعد، جودی از همان اول وقت دست به کار شد
تا یک سوسک راه‌راه واقعی و زنده‌ی ساحل شمال شرقی
پیدا کند. قبل از رفتن به مدرسه، از توی سطل زباله‌ی
مخصوص قوطی‌ها و شیشه‌ها، یک شیشه‌ی خالی کره‌ی
بادام‌زمینی برداشت و به حیاط پشتی دوید. به تنه‌ی درختان
ضربه زد. و سینه‌خیز لای علف‌هایی رفت که بدنش را
قلقلک می‌دادند و بعد هم توی آشغال‌ها را خوب نگاه کرد.

جودی بلند گفت: «آهای، سوسکی سوسکی، بیا اینجا.
نسلت را به خطر نینداز.»

اما حتی یک سوسک هم پیدا نکرد. تنها چیزی که پیدا

کره
بادام
زمینی

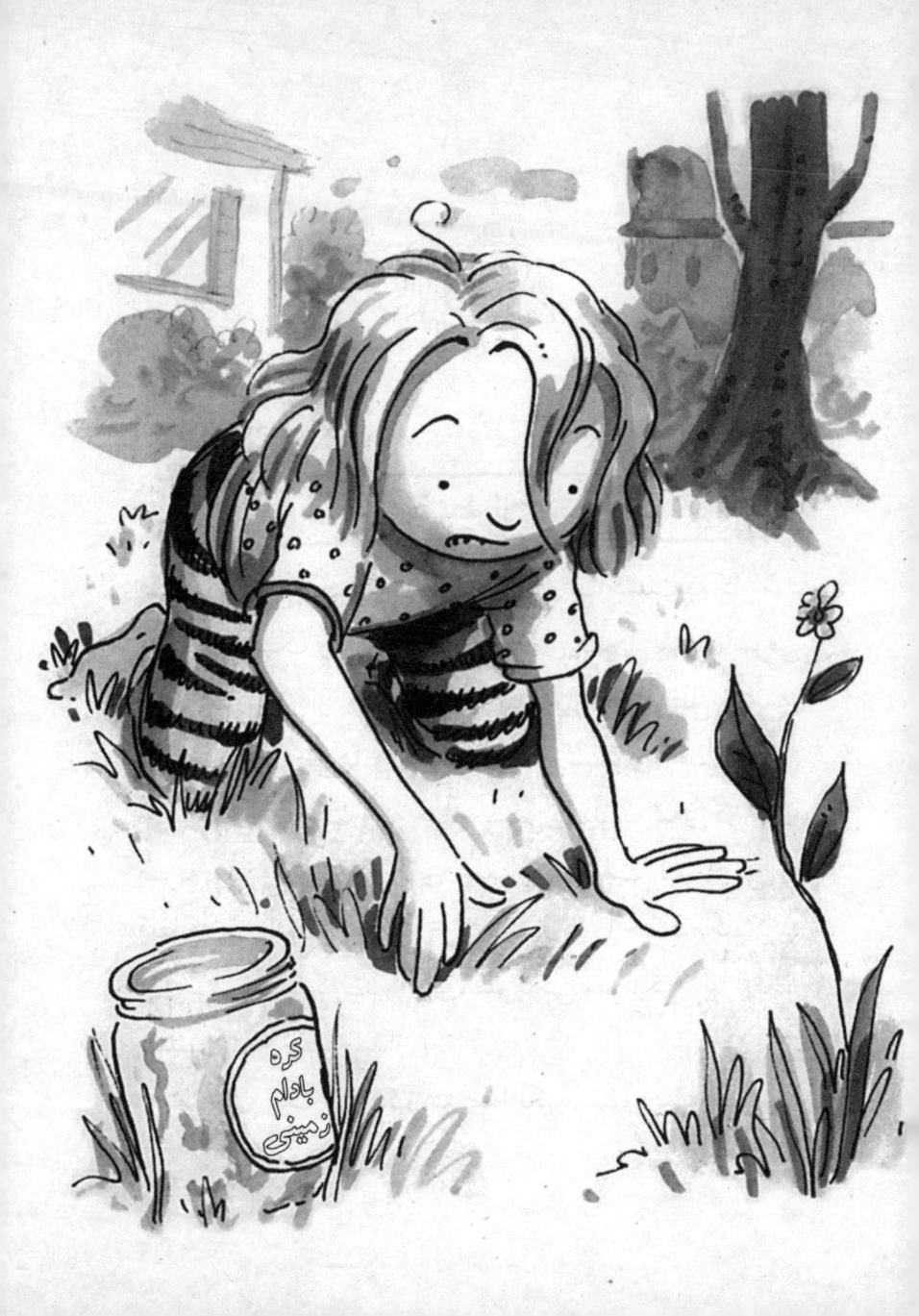

کرد، یک پوست بلوط، یک حلزون و یک کاغذ شکلات بود.

بابا صدا زد: «جودی! با لباس‌خواب توی حیاط چه‌کار می‌کنی؟»

جودی گفت: «دارم دنبال یک سوسک راه‌راه ساحل شمال شرقی می‌گردم. نسل‌شان در معرض خطر است. آقای تاد می‌گوید که نجات گونه‌های در خطر را باید از حیاط خانه‌تان شروع کنید.»

بابا گفت: «نه قبل از صبحانه، آن هم با لباس‌خواب. سوسک‌ها هنوز خوابند.»

همان روز، جودی توی مدرسه دنبال عکسی از سوسکش گشت و همین‌طور اطلاعاتی درباره‌ی آن. او فرهنگ لغات را نگاه کرد، فرهنگ‌نامه را هم نگاه کرد. کتاب حشرات را هم زیرورو کرد. حتی سراغ کامپیوتر رفت، اما هیچی پیدا نکرد.

❀

روز بعد، شنبه بود. فرانک پرل به جودی تلفن کرد: «می‌شود بیایم خانه‌تان؟»

ـ فقط به شرطی که یک سوسک راه‌راه ساحل شمال

شرقی با خودت بیاوری.

فرانک گفت: «باشه.»

جودی پرسید: «یکی پیدا کردی؟ راستی راستی؟»

ـ زنده‌اش را نه. اما عکسش را پیدا کردم. ببینم توی خانه‌تان تمبر دارید؟

ـ تمبر چه ربطی به این دارد؟

ـ فقط برو ببین تمبر دارید یا نه. تمبرهایی که روی‌شان عکس حشره دارند.

جودی گوشی را گذاشت و به‌طرف میز تحریر بابا و مامانش رفت تا تمبر پیدا کند.

بعد به فرانک گفت: «فقط چند تا تمبر مزخرف پرچم داریم.»

ـ من چند پلیون تمبر دارم و...

ـ از کجا این‌همه تمبر آوردی؟

ـ آن‌ها را جمع می‌کنم. داشتم چند تا تمبر توی آلبومم می‌چسباندم که چشمم به تمبری افتاد که عکس سوسک تو رویش بود.

جودی گفت: «همین حالا بیاورش اینجا. به مامانت بگو
وضعیت خیلی اضطراری است.»

نیم ساعت بعد، فرانک زنگ خانه‌ی جودی را زد.
جودی گفت: «بالاخره آمدی!» و او را کشان‌کشان به‌طرف
اتاق نشیمن برد.

فرانک آلبوم تمبرش را روی میز گذاشت و آن را باز
کرد. بعد صفحه‌ی حشرات و عنکبوت‌ها را آورد و گفت:
«به همه‌ی این سوسک‌ها نگاه کن. این سوسک ماده است و
شانس می‌آورد. این یک سوسک فضله‌غلطان است، این هم
سوسک هرکول و این هم یک سوسک شناگر خال‌خالی.
حتی یک سوسک شاخک‌دار هم هست.»

جودی جیغ کشید: «کدام یکی سوسک من است؟»
فرانک سوسکی را نشان داد که سرِ سبز براق و چشم‌هایی
مثل موجودات فضایی داشت. زیر عکس سوسک نوشته
شده بود: «سیسیندلا دُرسالیس دُرسالیس.»

جودی گفت: «اینکه سوسک راه‌راه ساحل شمال شرقی
نیست. یک‌جور سوسک سیندرلاست.»

۷۵

فرانک گفت: «این اسم لاتینش است.»

ــ لاتین؟ ببینم، سوسکی ندارند که به زبان ما حرف بزند؟

ــ زیرش را بخوان، ببین چی نوشته؟

سوسک ساحل شمال شرقی که در سواحل شنی خلیج چساپیک در منطقه‌ی ویرجینیا یافت می‌شود. به‌خاطر تغییرات زیستی، افزایش جمعیت، گسترش خط ساحلی و فرسایش خاک، نسلش در خطر نابودی است.

ــ پس سوسک من توی ساحل می‌گردد! پیلیون بار

تشکر، فرانک. حالا می‌توانم روی تحقیقم کار کنم. اول برای روی جلد، یک نقاشی می‌کشم.

فرانک پرسید: «کمک می‌خواهی؟»

جودی گفت: «حتماً. می‌توانی درِ ماژیک‌ها را ببندی.»

جودی روی جلد تحقیقش چند تا عکس سوسک راه‌راه ساحل شمال شرقی کشید.

فرانک گفت: «یادت نرود که برای‌شان نیش و بال هم بکشی.»

جودی گفت: «اِ، راست می‌گویی.»

فرانک پرسید: «می‌خواهی توی رنگ کردن کمکت کنم؟»

جودی گفت: «باشه. خیلی ممنون. ببینم تو چی؟ روی جلد تحقیقت نقاشی صدف صورت میمونی را کشیدی؟»

فرانک گفت: «آره. گوش‌ماهی‌هایی کشیدم که روی‌شان قلنبه‌سلنبه است و مثل صورت میمون می‌ماند. راست می‌گویم. برای‌شان چشم و گوش و چیزهای دیگری هم گذاشتم.»

جودی گفت: «باید ببینم‌شان.» بعد با حروف درشت

موضوع تحقیقش را نوشت:

سوسک راه‌راه ساحل شمال شرقی را نجات دهید.

جودی گفت: «معرکه است!»

فرانک گفت: «با حال ضرب‌در دو.»

جودی تازه کار روی جلدش را تمام کرده بود که استینک وارد اتاق شد و به نقاشی جودی نگاه کرد و گفت: «چرا روی جلد تحقیقت یک‌عالمه توپ فوتبال چاق و بال‌دار کشیدی؟»

خزه‌ی حوض

جودی تمام تعطیلات آخر هفته را روی تحقیقش کار کرد.
روز دوشنبه، زنگ علوم، همه‌ی بچه‌های کلاس درباره‌ی
گونه‌های در خطرشان گزارش دادند. فرانک به بچه‌ها توضیح
داد که چرا اسم این صدف را صورت میمونی گذاشته‌اند.

جسیکا فینچ صدف انگشت خوکی براقی را نشان داد
که شبیه یکی از شکلات‌هایی بود که شبیه صدف درست
می‌کنند. جودی هم درباره‌ی اهمیت سوسک راه‌راه ساحل
شمال شرقی کلی آسمان و ریسمان بافت.

ـ سوسک‌های راه‌راه، درخت‌های خشک شده را بازیافت
می‌کنند و خروارها حشره‌ی زیان‌آور را می‌خورند، برای

سوسک راه‌راه
جودی
سمندر شنان دوآ
راکی
صدف صورت میمونی
فرانک
صدف انگشت خوکی براق
جسیکا
عقاب سرسفید
براد

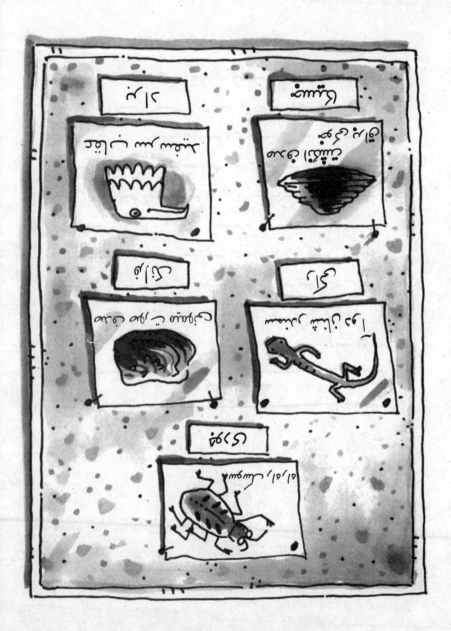

همین لگدشان نکنید. آن‌ها فرز و زرنگند، درست مثل ببر. طول پسرعموهای جنگل‌های استوایی‌شان، سوسک‌های هرکول، حدود پانزده سانتی‌متر است! سوسک‌های راه‌راه صدای وزوز بلندی دارند، این‌طوری: وزززززز! پایان!

وقتی گزارش همه تمام شد، آقای تاد گفت: «کارتان عالی بود! از همه متشکرم که آگاهی ما را در مورد این موجودات خاص بالا بردید. یادتان باشد، اگر در طبیعت، یکی از این جانوران را پیدا کردید، برشان گردانید سر جای‌شان. خیلی مهم است که جانوران را از زیستگاه طبیعی‌شان جابه‌جا نکنیم.»

ناگهان فکری به ذهن جودی رسید! یک فکر انیشتنی! وقتش بود که یک جلسه‌ی سری برای اعضای انجمن بگذارد. او یادداشتی به فرانک داد: «جلسه‌ی اضطراری انجمن جیش قورباغه. امروز! این یادداشت را به راکی هم بده.»

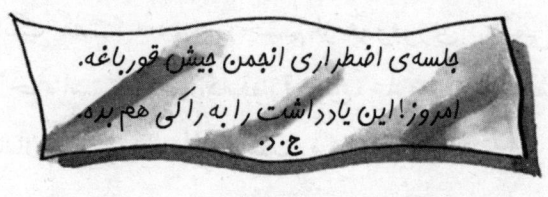

جلسه‌ی اضطراری انجمن جیش قورباغه.
امروز! این یادداشت را به راکی هم بده.
ج. د.

جسیکا به جلو خم شد و سعی کرد یادداشت جودی را ببیند. آهسته گفت: «شرط می‌بندم که نمی‌توانی کلمه‌ی "در معرض خطر" را هجی کنی.»

جودی گفت: «چرا، می‌توانم. ر ـ ف ـ ت ـ ه، از بین رفته.»

بعد در تمام مدت زنگ هجی، آرام و قرار نداشت و مدام وول می‌خورد.

درینگ گ گ! بالاخره زنگ کلاس، مثل آواز دسته‌جمعی و دلنشین سوسک‌های راه‌راه به صدا درآمد و او، جودی دمدمی، در یک چشم‌به‌هم‌زدن از کلاس بیرون ر ـ ف ـ ت ـ ه بود.

❀

بعد از مدرسه، فرانک، راکی و جودی زیر چادر آبیِ حیاط خانه‌ی جودی‌این‌ها جمع شدند. وقتی منتظر استینک بودند، جودی آهسته نقشه‌اش را برای فرانک و راکی توضیح داد.

راکی گفت: «من یک‌جوری استینک را دست به سر می‌کنم!»

فرانک گفت: «من هم چشم از قورقوری بر نمی‌دارم.»

بالاخره استینک هم که قورقوری، علامت خوش‌شانسی گروه‌شان را توی سطل ماست می‌آورد، وارد چادر شد.

استینک گفت: «قورقوری را کجا بگذاریم؟»

فرانک گفت: «بیارش اینجا، کنار من. من مواظبش هستم.»

جودی به استینک هشدار داد: «با دست قورقوری را برندار، وگرنه خدمتت می‌رسد. منظورم را که می‌فهمی؟»

استینک گفت: «هِی، راستی می‌دانستید اگر سه حرف از اسم قورقوری برداریم، می‌شود قوری؟»

جودی گفت: «چه بامزه، استینک. تو هم می‌دانستی اگر سه حرف به کلمه‌ی استینک اضافه کنیم می‌شود، استینک کَنه؟»

استینک به او محل نگذاشت و با دلخوری گفت: «اینجا چقدر تنگ است؟»

ـ سعی کن کمی خودت را کوچک‌تر کنی، استینک. مردم روی کره‌ی زمین جای خیلی زیادی را گرفته‌اند. به همین دلیل این‌قدر مشکلات داریم.

استینک گفت: «وای خدا، راستی ما چرا اینجا جمع شده‌ایم؟»

راکی گفت: «دلیل خاصی ندارد.» و با پا به پای فرانک زد و فرانک هم با آرنج به پهلوی جودی زد و هر سه از خنده ریسه رفتند.

فرانک گفت: «بیایید فکر بکری بکنیم. باید درباره‌ی کارهایی که می‌شود در انجمن انجام داد، برنامه‌ریزی کنیم. هر چند که اینجا خیلی گرم و شلوغ است.»

استینک گفت: «من که دارم له می‌شوم. تازه اینجا آن‌قدر گرم است که آدم نمی‌تواند فکر بکری بکند.»

جودی گفت: «کره‌ی زمین دارد گرم می‌شود. درست از همین جا، یعنی ویرجینیا.»

استینک مثل سگ له‌له زد.

جودی گفت: «استینک، این‌قدر نفس نکش. لایه‌ی اوزون را نابود می‌کنی. قبلاً لایه‌ی اوزون در قطب جنوب سوراخ شده.»

استینک گفت: «این تویی که لایه‌ی اوزون را سوراخ می‌کنی.» و دولادولا از چادر بیرون رفت.

جودی گفت: «عالی شد!» و او، راکی و فرانک برای این پیروزی کف دست‌های‌شان را به هم کوبیدند.

و کارهای قورقوری بکنی. برو و این دنیا را جای بهتری بکن.» و با گفتن شماره‌ی سه، جودی و راکی و فرانک آرام ظرف ماست را یک‌وری کردند و گذاشتند قورقوری برود.

راکی گفت: «خداحافظ، قارقارک!»

فرانک گفت: «مواظب باران‌های اسیدی باش.»

قورقوری یک‌بار پلک زد و بعد شلپ! توی آب پرید. با یک، دو، سه حباب، قورقوری رفت و از نظر ناپدید شد.

فرانک گفت: «خوب و بی‌دردسر فرستادیمش رفت.»

راکی گفت: «چون هدف‌مان خیر بود.»

جودی گفت: «قورقوری محشر بود!»

راکی و فرانک به خانه‌شان رفتند. او، جودی دمدمی، رفت تا دنیا را جای بهتری کند. انجمن جیش قورباغه قدم کوچکی برای نسل قورباغه و جهش عظیمی برای بشریت برداشته بود.

❋

استینک بعد از یک ساعت و بیست‌وهشت دقیقه تازه فهمید که قورقوری گم شده، در معرض خطر قرار گرفته، یا به قولی از بین ر ـ ف ـ ت ـ ه.

استینک پرسید: «رفته؟ وای، نه! اگر یک مار درسته قورتش بدهد، چی؟ یا یک عقاب غول‌پیکر یک لقمه‌ی چپش کند، چی؟ همه‌اش تقصیر من بود که توی چادر جا گذاشتمش. چرا کاری نکردی؟»

جودی گفت: «چرا کردم.» و اخبار خوب را درباره‌ی اینکه گذاشت قورقوری برود تا کره‌ی زمین را جای بهتری بکند، به او اعلام کرد.

اگر استینک یک قورباغه‌ی زهرپرت‌کن بود، بی‌برو برگرد به‌طرف جودی زهر پرت می‌کرد. اگر کوه آتش‌فشان بود، حتماً گدازه‌هایش را بیرون می‌ریخت.

اما حالا فقط ناله کرد: «منصفانه نیست. قورقوری حیوان

خانگی من بود!»

ـ قورقوری مال تمام اعضای انجمن جیش قورباغه بود. استینک گفت: «اما بیشتر وقت‌ها من ازش مراقبت می‌کردم. چطوری با ول‌کردنش، دنیا جای بهتری می‌شود؟ اگر از من بپرسی، می‌گویم جای بدتری می‌شود.»

جودی گفت: «اگر تو قورقوری را توی آکواریوم نگه می‌داشتی، مثل خزه‌ی حوض نفرت‌انگیز می‌شدی. این آکواریوم برای قورقوری مثل یک زندان بود.»

ـ اگه به بابا و مامان بگویم که چه‌کار کردی، این تویی که سروکارت به زندان می‌افتد.

ـ ببین استینک، بیا این‌طوری به موضوع نگاه کن. قورقوری آزاد می‌شود و حالا تعداد قورباغه‌ها بیشتر می‌شود. منظورم را می‌فهمی؟

ـ نخیر! من فقط این را می‌فهمم که تو قورباغه‌ام را دزدیدی.

بعضی وقت‌ها استینک از لاشخور هم لجبازتر می‌شد. استینک گفت: «حالا دیگر حتی برای انجمن‌مان هم

علامت خوش‌شانسی نداریم.»

جودی، موشی را بغل کرد و گفت: «موشی می‌تواند علامت خوش‌شانسی جدیدمان باشد!»

استینک گفت: «انجمن جیش موشی؟ فکر نمی‌کنم. می‌دانی، اگر قورقوری نبود ما حتی یک انجمن جیش قورباغه هم نداشتیم.»

ـ استینک، قورباغه‌های دیگری هم هستند که روی دست ما جیش کنند، بهت قول می‌دهم.

استینک گفت: «هنوز هم سر حرفم هستم.»

دیوا دو

روز بعد، جودی وقتی از مدرسه به خانه برگشت، یک‌راست رفت بالای درخت.

او، جودی دمدمی، توی دردسری درست‌وحسابی افتاده بود. چرا همه‌ی اعضای خانواده‌اش به‌خاطر آزاد کردن یک قورباغه این‌قدر از دستش عصبانی بودند؟ او فقط برای نجات دنیا این کار را کرده بود.

استینک تا دید جودی بالای درخت نشسته، پرسید: «آهای. منصفانه نیست! مامان و بابا گفتند که تو باید یک‌راست به اتاقت بروی!»

جودی گفت: «اینجا اتاق من است. از حالا به بعد

می‌خواهم این بالا زندگی کنم. مثل جولیا باترفلای هیل.»

ــ کی؟

ــ دختری که دو سال تمام بالای درخت زندگی کرد. داستانش را آقای تاد برای‌مان تعریف کرد. قرار بوده چند تا از درخت‌های کهن‌سال سکویا را توی کالیفرنیا قطع کنند، آن‌وقت، جولیا باترفلای هیل بالای یکی از درخت‌ها می‌رود و دو سال همان‌جا زندگی می‌کند. آن‌ها هم نمی‌توانند درختی را که کسی رویش زندگی می‌کند، قطع کنند. تازه اسم درخت را هم می‌گذارد دیوا.

استینک گفت: «جودی، تو نمی‌توانی همین‌طوری بالای درخت زندگی کنی.»

ــ اعلی‌حضرت جودی دمدمی.

استینک گفت: «وای خدا.»

ــ اگر من بالای درخت زندگی کنم، روزنامه‌نگارها و خبرنگارهای تلویزیون می‌آیند و آن‌وقت همه می‌فهمند که درخت‌ها چقدر مهم‌اند. من اسم درختم را می‌گذارم دیوا دو.

استینک گفت: «دیوانه چطوره؟»

جودی گفت: «هرهر خندیدم. استینک، باید امروز پادوی من بشوی.»

ــ چی؟ پاروی تو بشوم؟

جودی گفت: «پادو. برو واکی تاکی‌ام را برایم بیاور. واکی تاکی مثل تلفن باتری خورشیدی جولیا باترفلای‌هیل عمل می کند. این‌طوری می‌توانم با مردم حرف بزنم.»

استینک با واکی تاکی برگشت. جودی یک شاخه پایین آمد و استینک هم روی جعبه‌ی شیر رفت و واکی تاکی را به جودی داد.

ــ حالا برو و یک چراغ قوه برایم بیاور. کم‌کم این بالا هوا تاریک می‌شود.

استینک رفت و چراغ‌قوه آورد.

جودی گفت: «حالا می‌شود یک لیوان آب هم برایم بیاوری؟»

استینک پرسید: «آب؟ آب دیگر برای چی می‌خواهی؟»

ــ چون تشنه‌ام!

استینک گفت: «حرفش را هم نزن.»

ـــ پنجاه پنس بهت می‌دهم.

استینک که توی فکر پول‌هایی بود که می‌توانست کاسبی کند، پرسید: «قرار است تا کی آن بالا بمانی؟»

ـــ جولیا باترفلای هیل هفتصدوسی‌وهشت روز روی درختش ماند. پس تو، دیر یا زود باید برایم آب بیاوری و عدس. چون جولیا باترفلای هیل عدس می‌خورد.

استینک گفت: «عدس؟ تو به عمرت یک دانه عدس هم نخورده‌ای!»

بعد رفت و یک شیشه آب آورد و گفت: «پنجاه پنس به من بدهکاری. عدس‌مان هم تمام شده. یادم رفته بود که همه را برای کاردستی‌ام استفاده کردم.»

جودی گفت: «فکر کنم باید با لوبیا چیتی کنار بیایم. اَه.»

استینک گفت: «راکی دارد می‌آید این‌طرفی. او تلفن کرد

۹۵

و من هم بهش گفتم که تو روی درخت زندگی می‌کنی.
و گفتم که وقتی بابا و مامان بفهمند که توی اتاقت نرفتی،
بدجوری‌توی دردسر می‌افتی.»

ــ اینجا اتاق من است.

ــ پس می‌شود اتاق قبلی‌ات را برای خودم بردارم؟

❊

راکی بدو به حیاط آمد و با دیدن جودی گفت: «آب و
هوایت چطوره؟ یعنی حال‌وهوایت چطوره؟» و زد زیر خنده.
اما جودی نخندید. حتی یک کلمه هم حرف نزد.

استینک گفت: «باید بهش بگویی اعلی‌حضرت جودی
دمدمی.»

راکی گفت: «اوه، حالا فهمیدم. مثل آن دختره که روی
درخت زندگی کرد. اگر باران ببارد چه‌کار می‌کنی؟»

جودی گفت: «می‌روم زیر برگ‌ها.»

راکی گفت: «اگر هوا تاریک بشود، چی؟»

جودی گفت: «چراغ‌قوه دارم.»

استینک گفت: «حالا فهمیدی منظورم چیه؟ اول سر

چند تا آشغال از کوره در رفت. بعد هم نوبت آن سوسک عجیب و غریب شد. واقعاً دلم می‌خواهد از دستش سر به جنگل بگذارم!»

ــ وای، نه! تو یکی دیگر، نه.

راکی و استینک از خنده ریسه رفتند و روی زمین ولو شدند.

استینک از راکی پرسید: «چطوری می‌توانیم بیاوریمش پایین؟»

راکی گفت: «آقای تاد گفت که درخت‌بُرها برای اینکه جولیا باترفلای هیل را وادار کنند که از درخت پایین بیاید، تمام شب، با صدای بلند، موسیقی پخش کردند و نورافکن روشن کردند.»

استینک گفت: «پس حالا نوبت عملیات جعبه‌ی بوم‌بوم‌کن است.»

آن‌ها صدای موسیقی را بلند کردند تا جودی کلافه بشود و پایین بیاید. اما جودی دست‌هایش را روی گوش‌هایش گذاشت و برای خودش آهنگ "ای آسمان زیبا" را خواند.

استینک پرسید: «دیگر چه چیزهایی را روی جولیا امتحان کردند؟»

راکی گفت: «اقدامات قانونی.»

استینک فریاد زد: «اگر از درخت پایین نیایی، از دستت شکایت می‌کنم!»

جودی پرسید: «به چه جرمی؟»

ــ به جرم ماندن بالای درخت و فرار از تنبیه‌ات یا چیزی توی این مایه‌ها.

جودی گفت: «چیزی توی این مایه‌ها.»

راکی گفت: «بیا امتحان کنیم و درخت را تکان بدهیم.» بعد دست‌های‌شان را دور درخت حلقه کردند و تکانش دادند، اما حتی یک برگ هم از درخت نیفتاد.

استینک آرنج خراشیده‌اش را نشان داد و گفت: «تنه‌ی درخت حتی از نیش حشره‌ها هم بدتر است. آهای، جودی، من زخمی شدم. راستی‌راستی. برو وسایل دکتری‌ات را بیاور.»

اعلی حضرت جودی دمدمی گفت: «بَدَک نبود، سعی خودت را کردی.»

• درست همان‌موقع، موشی از خانه بیرون آمد و مثل برق
از درخت بالا رفت.

جودی بلند گفت: «از همراهی‌ات ممنونم. حالا دیگر این
بالا تنها نیستم.»

استینک گفت: «عالی شد. موشی هم دیگر پایین نمی‌آید
و از این به بعد او را موشی دُم چلچله‌ای دمدمی صدا
می‌زنیم یا چیزی توی این مایه‌ها.»

جودی گفت: «من باید به‌خاطر همه‌ی درخت‌ها این
بالا بمانم. و به‌خاطر همه‌ی جغدها، سنجاب‌های پرنده و
همه‌ی موجوداتی که به درخت‌ها احتیاج دارند. حتی آدم‌ها
و قورباغه‌ها.»

استینک گفت: «ولش کن، بگذار آن بالا بماند. به جهنم
اگر از آن بالا پرت بشود. به جهنم اگر توی دردسر بیفتد.»

راکی فریاد زد: «حتی اعلی‌حضرت جودی دمدمی هم
نمی‌تواند تا آخر عمرش آن بالا بماند. بالاخره که باید
بروی مدرسه.»

جودی هم با فریاد جواب داد: «جولیا باترفلای هیل وقتی

بالای درخت بود، از دانشگاه مدرک دکترا گرفت.»

راکی گفت: «شاید اگر بهش محل نگذاریم، خودش بیاید پایین.»

استینک گفت: «عملیات بی‌محلی به جودی.»

استینک و راکی رفتند توی خانه. موشی هم پرید روی شاخه‌ی پایینی و دنبال‌شان رفت. جودی پشت‌سر موشی فریاد زد: «ای خائن.»

از زندگی روی درخت، کمی حوصله‌اش سر می‌رفت. نمی‌دانست جولیا باترفلای هیل هم این‌طوری بود یا نه. هفتصدوسی‌وهشت روز خیلی زیاد بود. جودی حتی نمی‌توانست هفتصدوسی‌وهشت ثانیه دوام بیاورد.

۞

چند دقیقه بعد، استینک و راکی دوان‌دوان آمدند به حیاط. استینک پاکت‌نامه‌ای را در هوا تکان داد و گفت: «آهای با توام که آن بالایی، اعلی‌حضرت جودی دمدمی.»

جودی پرسید: «دیگر چه‌کار داری؟»

راکی داد زد: «از طرف کمپانی چسب زخم محشر یک

نامه برایت آمده!»

جودی همان‌طور که از آن بالا به پایین نگاه می‌کرد،
گفت: «جدی؟ بازش کن و برام بخوان.»

استینک گفت: «حرفش را هم نزن. باید خودت بیایی
پایین و بازش کنی تا ببینی چی نوشته.»

جودی گفت: «گول این حقه‌ات را نمی‌خورم، استینک.»

استینک گفت: «پس برات می‌خوانم.» بعد پاکت را باز
کرد. نامه را بیرون آورد و خواند: «جودی دمدمی عزیز! فکر

کنم هنوز نمی‌دانند لقبت اعلی‌حضرت است.»

جودی گفت: «بقیه‌اش را بخوان ببینم!»

ــ تبریک! تو در مسابقه‌ی نقاشی چسب زخم محشر، برنده شدی.

جودی چیزی را که شنیده بود، باور نمی‌کرد! درست مثل پلنگی که روی طعمه‌اش بپرد، از روی شاخه‌ی دیوا دو پایین پرید و گفت: «بگذار خودم ببینمش!» و با صدای بلند خواند:

استینک و راکی غش‌وریسه رفتند.

جودی نعره زد: «استینک! به من کَلَک زدی. اینکه از طرف کمپانی چسب زخم محشر نیست. تو مرا از درخت پایین کشیدی آن هم به‌خاطر اینکه دندان‌پزشک دلش برای لبخند من تنگ شده؟»

استینک گفت: «عوضش کَلَکم گرفت.»

جودی گفت: «پس خوب به این لبخندم نگاه کن.» و دندان‌هایش را مثل ببر سیبریایی نشان داد.

استینک گفت: «منظورت این است که دیگر نمی‌شود اتاقت را برای خودم بردارم؟»

جودی گفت: «غررر!»

خفاشی محشر می‌کند

فردای آن روز، بعد از زنگ، وقتی جودی، استینک و راکی از اتوبوس پیاده شدند، استینک فریاد زد: «تا صندوق پست باهاتان مسابقه می‌دهم!» اما جودی دنبال استینک ندوید. درست همان‌جایی که بود ماند تا بتواند چشم‌بندی راکی را با آدامس بادکنکی ناپدیدشو جدیدش ببیند. و درست همان‌موقع صدای داد و فریاد استینک را از آن‌طرف خیابان شنید. او پاکت نامه‌ای را در هوا تکان می‌داد و فریاد می‌زد: «مسابقه‌ی چسب زخم محشر! جودی، تو برنده شدی!»

جودی گفت: «دروغ می‌گویی، استینک! دوباره گول نمی‌خورم.»

ـ نوشته برنده‌ی مسابقه. درست اینجا، با حروف درشت
و قرمز. می‌بینی؟

جودی که داشت به آن‌طرف خیابان می‌رفت، گفت:
«اگر این‌دفعه هم کلک باشد، جایت بالای درخت است.»

راکی که کنارش می‌آمد، گفت: «شاید این‌دفعه کلکی
در کار نباشد.» و به استینک گفت: «حالا چی برده؟»

استینک گفت: «کفش‌های اسکیت!»

ـ کفش‌های اسکیت توی پاکت‌نامه جا نمی‌شوند،
استینک.

استینک گفت: «پس شاید نفر دوم شده‌ای. شاید عینک
آفتابی برده‌ای.»

ـ عینک آفتابی هم توی پاکت‌نامه جا نمی‌شود، بده
خودم ببینم.

و پاکت نامه را گرفت و سرش را پاره کرد.

جودی فریاد کشید: «تقدیرنامه؟ برای **درمان دنیا**، فقط
همین را به من دادند؟ یک تقدیرنامه‌ی آشغال؟ تقدیرنامه که
هیچ شباهتی به کفش اسکیت ندارد. تقدیرنامه که مچ پای

آقای دمدمی

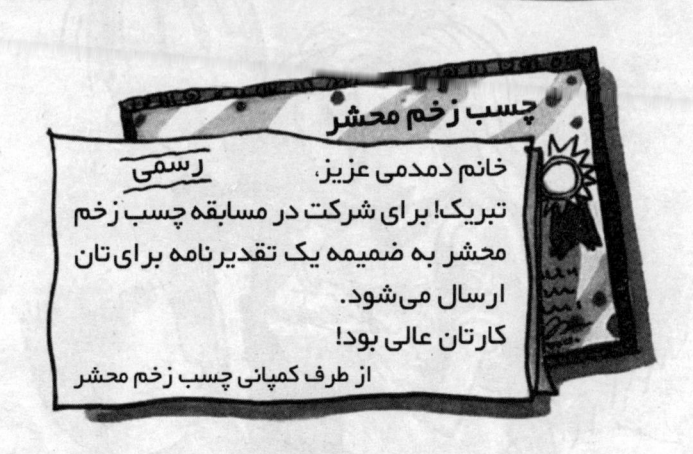

چسب زخم محشر

خانم دمدمی عزیز، رسمی
تبریک! برای شرکت در مسابقه چسب زخم
محشر به ضمیمه یک تقدیرنامه برای‌تان
ارسال می‌شود.
کارتان عالی بود!
از طرف کمپانی چسب زخم محشر

میلیون‌ها نفر را تزئین نمی‌کند!»

راکی گفت: «تقدیرنامه مثل این است که نفر دوم شده
باشی.»

جودی دست‌هایش را روی گوش‌هایش گذاشت و
گفت: «دیگر اسم تقدیرنامه را پیش من نیاور!»

استینک گفت: «حداقل تو یک چیزی گرفتی.»

راکی گفت: «آره. استینک حتی یک تقدیرنامه هم نگرفت.»

جودی از این موضوع کمی خوشحال شد و گفت:

«خب، دست‌کم یک چیزی دارم که در تالار افتخار روی یخچال بچسبانم.»

درست همان‌موقع، تمام نامه‌های رسیده از دست استینک افتاد و کاتالوگ‌ها و پاکت‌های نامه این‌طرف و آن‌طرف پخش شدند. استینک فریاد زد: «کمک!» از لای یکی از کاتالوگ‌ها پاکت نامه‌ای بیرون افتاد.

استینک پاکت را برداشت و داد زد: «صبر کنید! من هم یک نامه دارم!»

جودی گفت: «بگذار ببینم. باز هم فکر می‌کنی که تقدیرنامه چیز خوبی است؟»

استینک بدون عجله و سر فرصت داشت نامه را باز می‌کرد.

ــ استینک، تا تو آن پاکت را باز کنی، من رفتم کلاس چهارم. بجنب. بخوانش!

استینک نامه را خواند:

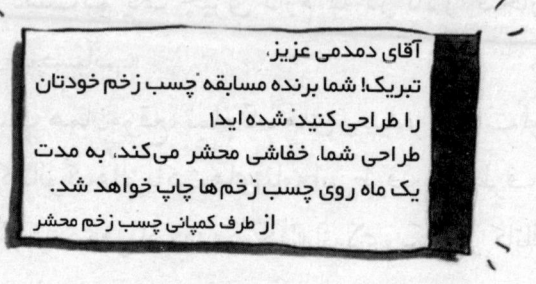

آقای دمدمی عزیز،
تبریک! شما برنده مسابقه چسب زخم خودتان
را طراحی کنید شده‌اید!
طراحی شما، خفاشی محشر می‌کند، به مدت
یک ماه روی چسب زخم‌ها چاپ خواهد شد.
از طرف کمپانی چسب زخم محشر

استینک همان‌طور که بالا و پایین می‌پرید و نامه را در هوا تکان می‌داد، گفت: «آخ جان! چسب زخم محشر ماه! من برنده‌ی چسب زخم ماه شدم!»

جودی گفت: «نامه را بده ببینم.» بعد نامه را با چشم‌های خودش خواند. چطور چنین اتفاقی افتاده بود؟ برادر کوچک و بوگندویش برنده‌ی چسب زخم محشر ماه شده بود!

جودی با عصبانیت گفت: «این آدم‌ها چه مرگشان شده؟ بالاخانه‌شان را اجاره داده‌اند! مخشان عیب پیدا کرده؟ مگه نمی‌دانند خفاش‌ها چشم‌های ریزی دارند و مثل خوک‌ها دماغشان پَخ است! یعنی نمی‌دانند که خفاش‌ها مثل خون‌آشام‌ها هستند؟»

استینک گفت: «هرچی هم که باشند، مثل توپ فوتبال بال‌دار که نیستند.»

جودی گفت: «حتی درمان دنیا هم برای‌شان مهم نیست؟»

استینک گفت: «نسل خفاش‌های گوش‌گنده در معرض خطر است. عکس‌شان روی چسب زخم محشر، درست مثل درمان دنیاست.»

جودی گفت: «غررر!»

قرار است خفاش‌های گوش‌گنده مچ پای میلیون‌ها نفر را تزئین کنند. در صورتی که، همین حالا، تمام ایالت ویرجینیا دارند سوسک‌های راه‌راه شمال شرقی را له می‌کنند، بدون اینکه حتی آن‌ها را بشناسند.

راکی گفت: «هِی! پس کفش‌های اسکیت چی؟»

استینک گفت: «اینجا نوشته که من عینک آفتابی چسب زخم محشر را برده‌ام.»

راکی گفت: «حتماً جایزه‌ات همین است.» و به جعبه‌ی بزرگی که روی ایوان بود، اشاره کرد. استینک و راکی به‌طرف آن دویدند و جودی هم دنبال‌شان رفت.

استینک گفت: «از طرف کمپانی چسب زخم محشر
است! عینک آفتابی است!»

جودی گفت: «باید عینک آفتابی یک کرگدن باشد.»

راکی گفت: «نکند اشتباهی برایت کفش‌های اسکیت
فرستاده‌اند.»

ــ پس خدا کند سیاه باشد و نوارهای قرمز داشته باشد و...

جودی گفت: «استینک! زود باش جعبه را باز کن!»

استینک جعبه را پاره کرد. کفش‌های اسکیت نبود.
عینک آفتابی کرگدن هم نبود. چسب زخم‌های محشر بود.
یک‌عالمه چسب زخم. پیلیون‌ها چسب زخم. برای تمام
عمرش! دست کم ده تا قوطی!

جودی گفت: «معرکه است!»

راکی گفت: «وای! به عمرم این‌قدر چسب زخم محشر
ندیده بودم!»

استینک که با انگشت، ملکه‌ی چسب زخم‌های محشر،
یعنی جودی را نشان می‌داد، گفت: «من دیده‌ام. اما این‌ها
م ـ ا ـ ل ـ م ـ ن، مال خودِ خودم است.»

راکی نقاشی استینک را دید و پرسید: «ببینم، تو این را کشیدی؟ با حال ضرب‌در دو!»

جودی گفت: «وای، نقاشی خود خودت روی چسب زخم محشر.» دست خودش نبود، داشت از حسادت مثل بادکنک می‌ترکید.

استینک که داشت ته جعبه را زیرورو می‌کرد، گفت: «هی، این هم عینک آفتابی‌ام!» عینک را به شکل چسب زخم درست کرده بودند. استینک آن را به چشم زد و به خورشید نگاه کرد و گفت: «واقعاً عالیه!»

جودی گفت: «خوش به حا ـ لت! این عینک از چشم‌هایت در مقابل سوراخ گنده‌ای که در لایه‌ی اوزون قطب جنوب است، محافظت می‌کند.»

استینک چسب زخم محشر خودش را داشت! برادر فسقلی خنگولش حالا به مشهوری جوزفین دیکسون، مخترع چسب پانسمان شده بود. اگر او، جودی دمدمی، به‌خاطر سوراخ لایه‌ی اوزون نبود، همین حالا یک‌راست به قطب جنوب می‌رفت.

جودی پرسید: «فکر می‌کنید توی قطب جنوب هم خفاش باشد؟»

استینک گفت: «خفاش‌های یخ‌زده.»

جودی سرش را به‌طرف لایه‌ی اوزون گرفت و زوزه‌ی بلند و مضحکی، مثل زوزه‌ی میمون‌ها کشید: «اووووو!»

پروژه‌ی مداد

روز بعد و همین‌طور روز بعدش، تا جودی از خواب بیدار می‌شد، احساس می‌کرد مثل کرم پروانه‌ای است که توی پیله رفته. آن‌وقت به زور می‌توانست از رختخواب بیرون بیاید.

برنامه‌ی نجات دنیا اصلاً خوب پیش نرفته بود و او کار واقعاً مهمی انجام نداده بود. کاری مثل درمان دنیا، آن هم با چسب زخم محشر خودش. تابه‌حال، فقط چهار پوست موز، یک ظرف غذا و یک قورباغه را نجات داده بود.

صبح جمعه، جودی صبحانه‌ی بدون زباله‌اش را در سکوت خورد. بعد خودش ناهار بدون زباله‌اش را بسته‌بندی کرد. و وقتی استینک به تمام دست‌ها و آرنج و زانو و چانه‌اش

چسب زخم محشر چسباند، یک کلمه هم حرف نزد.

استینک که داشت یکی از چسب زخم‌ها را از روی آرنجش می‌کَند، گفت: «این چسب زخم‌ها پوست آدم را می‌خاراند.» جودی که دیگر تحملش تمام شده بود، گفت: «اگر این چسب زخم‌ها مال من بود، خیلی هم خوشم می‌آمد که پوستم را بخاراند. حتی یک‌بار هم پوستم را نمی‌خاراندم و اصلاً هم نمی‌کندم‌شان. حتی توی حمام.»

❀

توی مدرسه، جودی حتی یک‌بار هم دستش را بالا نبرد. یادداشتی برای فرانک نفرستاد و در تمام مدت زنگ هجی، فقط نشست و مداد بداخلاقش را جوید.

او، جودی دمدمی، در حال‌وهوای مداد گاز زدن بود.

وقتی درس علوم شروع شد، آقای تاد ساعت مچی‌اش را باز کرد و گفت: «می‌خواهم همه‌تان برای شصت ثانیه سکوت کنید. من وقت می‌گیرم.» همین‌که وقت تمام شد، آقای تاد گفت: «در این مدت، حدود چهار صد کیلومتر مربع درخت در جنگل‌های استوایی نابود شدند. یعنی چیزی به اندازه‌ی هفتاد زمین فوتبال.»

بچه‌ها یک‌صدا گفتند: «امکان ندارد!»

آقای تاد گفت: «زندگی ما به جنگل‌های استوایی بستگی دارد. به‌خاطر تمام چیزهایی که هر روز می‌خوریم و می‌پوشیم و استفاده می‌کنیم. حتی مداد چوبی و پاک‌کن لاستیکی شما از جنگل‌های استوایی تأمین می‌شود. نود و هشت درصد چوب سدری که برای تهیه‌ی مداد استفاده می‌شود، از جنگل‌های استوایی به دست می‌آید.»

جودی دست از جویدن مداد بداخلاقش برداشت و به آن خیره شد. صورت بداخلاق روی مداد، بداخلاق‌تر از قبل شده بود. پس این مداد قبلاً یک درخت بوده. یک درخت

جنگل استوایی!

او، جودی دمدمی، دیگر هرگز در تمام عمرش از مداد استفاده نمی‌کرد. حتی از یک مداد بداخلاق.

آقای تاد گفت: «اگر ما به نجات جنگل‌های استوایی کمک کنیم، به نجات سیاره‌مان کمک کرده‌ایم.»

یک‌دفعه نقشه‌ای به فکر جودی رسید. نقشه‌ی عالی دنیا ـ را ـ نجات ـ دهید. تنها کاری که باید می‌کرد، این بود که از خیر زنگ تفریح بگذرد.

وقتی همه‌ی بچه‌ها با عجله به حیاط مدرسه رفتند، جودی یواشکی به کلاس برگشت. این  بزرگ‌ترین شانس زندگی‌اش بود. توی همه‌ی جامیزها یک جامدادی بود. جودی به سرعت همه‌ی مدادها را از توی جامدادی‌ها برداشت و توی گلدان پنهان کرد. بلافاصله بعد از زنگ تفریح، ریاضی داشتند. آقای تاد گفت:

«دفترهای‌تان را درآورید، و مدادهای‌تان را به کار بیندازید.»

جودی با خودش گفت: «وای!»

ــ اِ، مداد من نیست!

ــ مال من هم همین‌طور!

ــ مال من درست همین‌جا بود!

همه‌ی کلاس به هم ریخت: «آقای تاد، آقای تاد، یکی مدادهای‌مان را دزدیده!»

آقای تاد گفت: «خیلی خب، ببینم، کی شوخی‌اش گرفته؟» کسی جواب نداد.

ــ کسی چیزی درباره‌ی گم شدن مدادها می‌داند؟

جودی سرش را همان‌طور پایین انداخت و وانمود کرد که دارد مسئله‌های ریاضی‌اش را حل می‌کند. براد به جودی نگاه کرد. جودی تنها کسی بود که از گم شدن مدادش شکایتی نکرده بود و داشت مسئله‌های ریاضی‌اش را با یک م ـ د ـ ا ـ د، حل می‌کرد.

براد به جودی اشاره کرد و گفت: «مداد دزد! جودیِ دمدمی مدادهای‌مان را دزدیده!»

نام: جودی دمدمی
۵۵ + ۵۵ = ۱۱۰
۶۶ + ۶۶ = ۱۳۲
۹۹ + ۹۹
۴۴ + ۴۴
۹۹۹ + ۹۹۹
۸۸۸
۷۷۷۷ + ۷۷۷۷

جودی احساس کرد بیست‌ویک جفت چشم کلاس سومی عاشق مداد به او دوخته شده است.

آقای تاد کنار میزِ او آمد و گفت: «جودی؟ در مورد گم شدن مدادها چی می‌دانی؟»

جودی اعتراف کرد: «خیلی خب، من برشان داشتم. چون فکر کردم دیگر نباید از مداد استفاده کنیم.»

براد گفت: «نباید از مداد استفاده کنیم! چه حرف چرندی!»

جودی گفت: «به‌خاطر نجات جنگل‌های استوایی.»

آقای تاد پرسید: «خب، بچه‌ها، شما چی فکر می‌کنید؟»

لیو گفت: «ما فقط مدادهای‌مان را می‌خواهیم.»

جودی باورش نمی‌شد که این کلاس سومی‌ها این‌قدر کشته و مرده‌ی مداد باشند. مگر لایه‌ی اوزون برای‌شان مهم نبود؟ مگر برای‌شان مهم نبود که توی یک دقیقه به اندازه‌ی هفتاد زمین فوتبال، درخت قطع می‌شد تا با آن‌ها مداد و پاک‌کن درست شود؟ آرزو کرد که کاش همه‌شان بروند به پاکستان.

فرانک گفت: «به‌نظر من هم باید جنگل‌های استوایی را نجات داد.»

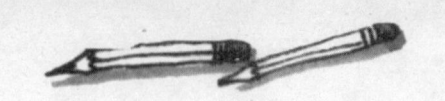

هیلی گفت: «من هم همین‌طور.»

راکی گفت: «من هم.»

رندی گفت: «آره، اما نمی‌توانیم تا آخر عمر از مداد استفاده نکنیم. باید هی بنویسیم و پاک کنیم. مثل ریاضی. بدون ریاضی چطور می‌توانیم دنیا را نجات بدهیم؟»

جسیکا فینچ گفت: «شاید راهش این باشد که زیادی از مداد استفاده نکنیم. یک مداد می‌تواند یک خط به طول پنجاه و شش متر بکشد. ما همه می‌توانیم قول بدهیم که تا کلاس پنجم از همین مداد استفاده کنیم.»

این جسیکا خنج خبرچین فینچ از کجا این‌همه اطلاعات در مورد مداد داشت؟ شاید هم اصلاً خنج خبرچین نبود.

جودی پرسید: «یک درخت، چند تا مداد می‌دهد؟»

براد گفت: «هیچی، مدادها که روی درخت درنمی‌آیند.»

جودی گفت: «هرهر خندیدم. جدی می‌گویم. یک درخت، یک‌عالمه مداد می‌دهد. راست می‌گویم.»

جسیکا فینچ گفت: «یک درخت حدود ۱۷۲۰۰۰ مداد

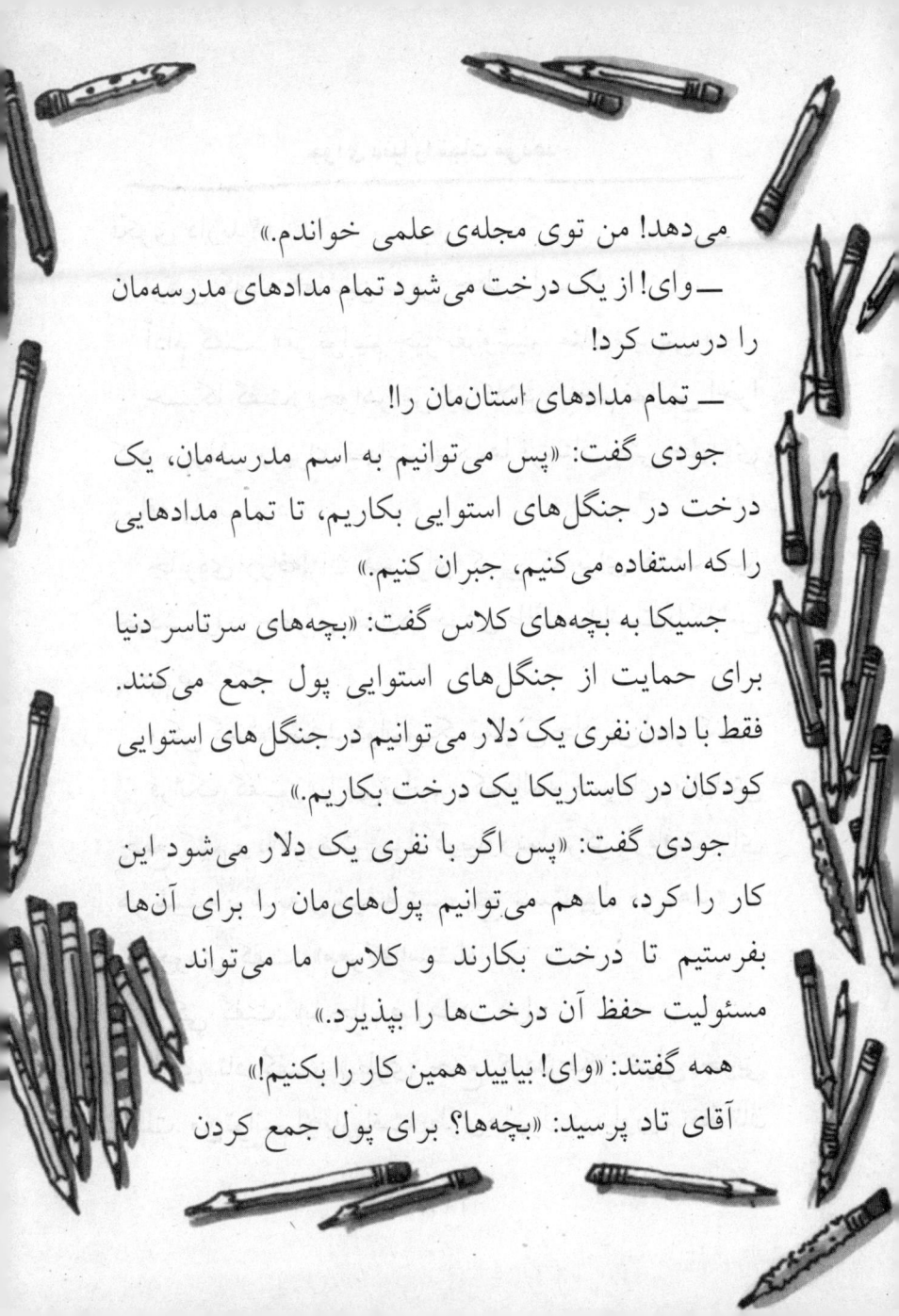

می‌دهد! من توی مجله‌ی علمی خواندم.»

ـ وای! از یک درخت می‌شود تمام مدادهای مدرسه‌مان
را درست کرد!

ـ تمام مدادهای استان‌مان را!

جودی گفت: «پس می‌توانیم به اسم مدرسه‌مان، یک
درخت در جنگل‌های استوایی بکاریم، تا تمام مدادهایی
را که استفاده می‌کنیم، جبران کنیم.»

جسیکا به بچه‌های کلاس گفت: «بچه‌های سرتاسر دنیا
برای حمایت از جنگل‌های استوایی پول جمع می‌کنند.
فقط با دادن نفری یک دلار می‌توانیم در جنگل‌های استوایی
کودکان در کاستاریکا یک درخت بکاریم.»

جودی گفت: «پس اگر با نفری یک دلار می‌شود این
کار را کرد، ما هم می‌توانیم پول‌های‌مان را برای آن‌ها
بفرستیم تا درخت بکارند و کلاس ما می‌تواند
مسئولیت حفظ آن درخت‌ها را بپذیرد.»

همه گفتند: «وای! بیایید همین کار را بکنیم!»

آقای تاد پرسید: «بچه‌ها؟ برای پول جمع کردن

فکری دارید؟»

لوسی گفت: «ماشین‌شویی چطور است؟»

آدام گفت: «می‌توانیم چیز بفروشیم. مثلاً شیرینی.»

جسیکا گفت: «خواهر من در کلاس پنجم نمایش اجرا کرد و پولش را برای نجات نهنگ‌ها فرستاد. حتی جایزه‌ی زرافه را هم برد.»

جایزه‌ی زرافه! آن هم برای کسی که برای هدف خیر خودش را به خطر می‌اندازد. جودی طاقت نداشت تا کلاس پنجم صبر کند.

راکی گفت: «شاید بتوانیم یک نمایش جادویی اجرا کنیم.»

فرانک گفت: «یا می‌توانیم یک‌عالمه چیزهای بازیافتی جمع کنیم و با فروشش پول دربیاوریم. مرکز بازیافت برای هر شیشه نوشابه و شیشه شیر، پنج سنت پول می‌دهد.»

جودی گفت: «معرکه است!»

راکی گفت: «با حال ضرب‌در دو!»

آقای تاد گفت: «بطری جمع کردن فکر خیلی خوبی است. می‌توانیم از بازیافت بطری‌ها پول دربیاوریم. نظرتان

چیه، بچه‌ها؟ فکر می‌کنید بتوانیم به اندازه‌ی کافی بطری جمع کنیم؟»

همه فریاد زدند: «بله!»

به این ترتیب قرار شد که کلاس سوم ت دبستان ویرجینیا دِیر وارد کار جمع‌آوری بطری شود و کارشان را از غذاخوری مدرسه شروع کنند.

❀

کلاس سوم ت درست مثل ارتش مورچه‌ها، سخت کار کردند. فرانک آهسته گفت: «خیلی کار با حالی کردی که ما را از کلاس ریاضی نجات دادی.»

جسیکا گفت: «این کار خیلی جالب‌تر از وقتی بود که دست مرا گچ گرفتی.»

راکی گفت: «اگر قرار است جنگل‌های استوایی را نجات بدهیم، باید میلیون‌ها بطری جمع کنیم.»

آقای تاد گفت: «حق با راکی است. بهتر است به خانه‌های‌مان برویم و ببینیم تا آخر هفته چند تا بطری می‌توانیم جمع کنیم.»

جودی دمدمی به تند و تیزی نوک یک مداد بود. آن‌ها

فقط به اندازه‌ی چند روز و چند صد بطری با نجات جنگل‌های استوایی فاصله داشتند.

او در بهترین ــ حال ــ و ــ هوای ــ جودی ــ دمدمی بود. بالاخره راه خودش را برای نجات دنیا پیدا کرده بود. و بهترین قسمتش هم این بود که دیگر مجبور نبود یک تنه این کار را بکند، با کلاس سوم ت دنیا را نجات می‌دادند. درست مثل نظام زیست محیطی.

او، اعلی‌حضرت جودی دمدمی، می‌دانست پروانه‌ای که از پیله بیرون می‌آید، دقیقاً چه حسی دارد: مثل پر سبک است.

بطری‌ها محشر می‌کنند

راکی گفت: «بیایید بعد از مدرسه برویم شکار بطری.»

جودی گفت: «مطمئنم که پیدا کردن بطری آسان‌تر از پیدا کردن سوسک راه‌راه ساحل شمال شرقی است.»

آن‌ها اول به انباری خانه‌ی راکی هجوم بردند و دو تا صندوق بطری شیر پیدا کردند که هنوز برای بازیافت نبرده بودند.

جودی گفت: «معرکه است! بیست‌وهفت تا بطری!»

ــ اما همه‌شان له‌ولورده‌اند. یادم رفته بود که مامانم آن‌ها را له می‌کند.

ــ عیبی ندارد. آن‌ها بطری‌های ا ــ ب ــ پ هستند.

اجناس بازیافتی پرس شده.

در خانه‌ی جودی، مامان جودی بطری‌های شیری را که برای دانه‌خوری پرنده‌ها کنار گذاشته بود، نشانش داد. بابا هیچ بطری‌ای نداشت، بنابراین، برای کاشتن درخت، به جودی و راکی نفری یک دلار داد.

راکی گفت: «ممنون، آقای دمدمی.»

جودی از خوشحالی اسکناسش را بوسید.

مامان پرسید: «ببینم، یعنی می‌توانم دوباره آرایش کنم؟»

بابا گفت: «من هم می‌توانم قهوه بخورم؟»

جودی خندید و گفت: «آره، ولی نه زیاد.»

استینک گفت: «منصفانه نیست. اگر من هم یک دلار داشتم می‌توانستم یک درخت بکارم یا چیزی توی این مایه‌ها.»

جودی گفت: «چیزی توی این مایه‌ها.»

❀

تمام هفته‌ی بعد، کلاس سوم ت کوهی از بطری در اتاق چندمنظوره جمع کرد. کیسه‌های پر از بطری، جعبه‌های پر از بطری، صندوق‌های پر از بطری.

آقای تاد گفت: «بچه‌ها، کار گروهی‌تان عالی بود. می‌دانستید که در این کشور هر ساعت نیم میلیون بطری پلاستیکی دور می‌اندازیم؟ در مدت سه ماه، ما به قدری بطری دور می‌اندازیم که برای چرخیدن دور کره‌ی زمین کافی است.»

راکی گفت: «مواظب باشید! بطری‌ها دارند اداره‌ی کره‌ی زمین را به دست می‌گیرند!»

جسیکا فینچ گفت: «مردم باید آن‌ها را بازیافت کنند. بابای من یک ژاکت دارد که از بطری‌های پلاستیکی بازیافتی درست شده. جوراب‌های من هم از بطری است.»

جودی گفت: «امکان ندارد.» و برگشت تا نگاهی به جوراب‌های بطری پلاستیکی بیندازد. اما ظاهر جوراب‌ها معمولی بود و اصلاً پلاستیکی به‌نظر نمی‌آمدند.

آقای تاد گفت: «درست است. می‌شود تمام قوطی‌های پلاستیکی را بازیافت کرد و با آن‌ها اسباب‌بازی و گیره‌ی لباس و قاب عکس ساخت. حتی می‌شود زباله‌ها را بازیافت کرد.»

جسیکا پرسید: «فکر می‌کنید ما تا الان چند تا بطری جمع کرده‌ایم؟»

براد گفت: «بیایید همه را روی هم بگذاریم و ببینیم بلندی‌اش چقدر می‌شود.»

کلاس سوم ت زنگ ریاضی‌شان را صرف روی هم گذاشتن بطری‌ها کردند.

راکی گفت: «باید اسمش را بگذاریم "کوه بطری".»

فرانک گفت: «با حال ضرب‌در دو. عین کلبه‌ی غول‌پیکر اسکیمویی شده.»

وقتی آخرین بطری را گذاشتند، آقای تاد گفت: «فردا روز بزرگی است. فردا می‌فهمیم که تعداد بطری‌هایی که جمع کرده‌ایم چند تاست. مدیر مدرسه‌مان، خانم توکسیدو، به تمام مدرسه اعلام خواهد کرد که چقدر پول جمع شده. حالا بهتر است همه با عجله به کلاس برگردید تا کسی از اتوبوس جا نماند.»

جودی گفت: «فردا! یعنی بیست و چهار ساعت دیگر!» اما اصلاً صبر و قرار نداشت و دلش می‌خواست هرچه

زودتر بداند که قرار است از طرف مدرسه‌شان چند تا
درخت در جنگل‌های استوایی کاشته شود.

مرض چشمک زدن

صبح جمعه، وقتی جودی و راکی از اتوبوس پیاده شدند، خانم توکسیدو، دم در مدرسه منتظرشان بود. «شما دو تا چطورید؟»

جودی گفت: «خیلی خوبیم.»

راکی گفت: «امروز می‌فهمیم که قرار است چند تا درخت بکاریم.»

مدیر مدرسه گفت: «درست است. روز خوبی داشته باشید.» و به آن دو چشمک زد.

جودی به راکی نگاه کرد و راکی به جودی.

جودی دمدمی در تمام این سه سالی که در مدرسه درس

ستگاه اتوبوس
Recycle

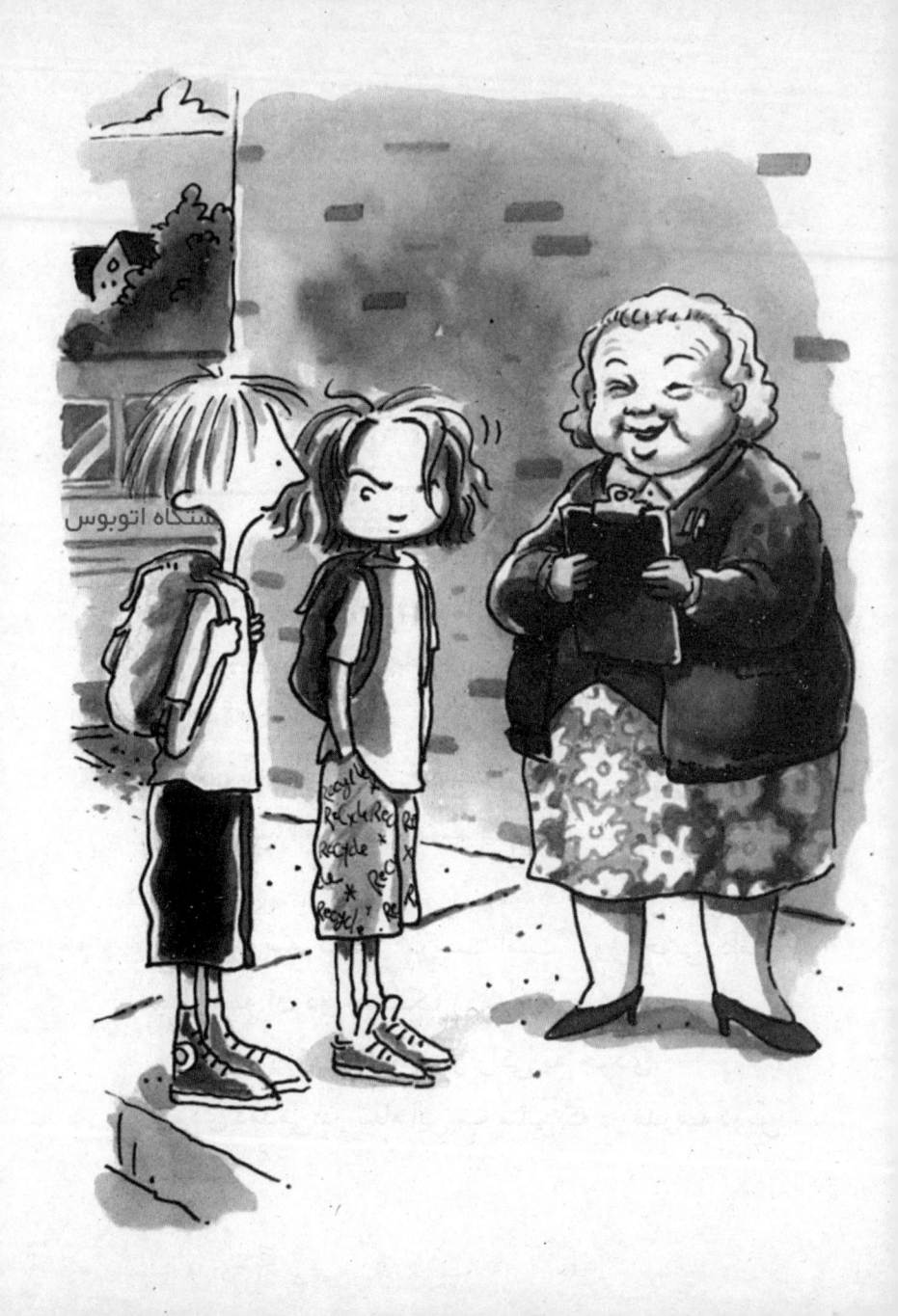

خوانده بود، هرگز ندیده بود که خانم مدیر به کسی چشمک بزند.

جودی و راکی قبل از شروع کلاس بدو به اتاق چندمنظوره رفتند تا دوباره نگاهی به کوه بطری‌ها بیندازند، اما درها قفل بود. وقتی به کلاس سوم ت رسیدند، آقای تاد دم در ایستاده بود. گفت: «می‌بینید چه جمعه‌ی معرکه‌ای است؟» و چشمک زد. جودی دمدمی در تمام سه سالی که در این مدرسه بود، هرگز نشنیده بود که آقای تاد کلمه‌ی معرکه را به کار ببرد. اصلاً اصلاً اصلاً ندیده بود که او چشمک بزند.

جودی به راکی گفت: «یک خبرهایی هست.»

جودی کنار فرانک نشست و گفت: «می‌دانی چیه؟ یک چیز بامزه. همه‌ی معلم‌ها امروز مرض چشمک زدن گرفته‌اند.»

ــ مرض چشمک‌زدن؟

ــ آره، یعنی می‌دانی، آن‌ها به آدم چشمک می‌زنند و حرف‌های خوب خوب می‌گویند.

وقتی جودی منتظر بود تا شمارش بطری‌ها شروع شود، نگاهی به اطراف و بچه‌های محل زیست خودش انداخت.

حتی یک نفر از کلاس سومی‌ها غایب نبود. و تک‌تک بچه‌ها در کلاس سوم ت دست به کار شده و بطری جمع کرده بودند.

آقای تاد که چراغ را خاموش و روشن می‌کرد تا توجه بچه‌ها را جلب کند، گفت: «بچه‌ها، وقت اعلام نتیجه است. لطفاً گوش کنید.»

در تمام مدت اعلام نتیجه، جودی دمدمی آن‌قدر وول خورد که حتی یک کرم لوبیا هم نمی‌توانست آن‌قدر وول بخورد.

صدای خانم توکسیدو از بلندگو شنیده شد: «و حالا، می‌رسیم به لحظه‌ای که همه منتظرش بودید...» جودی دمدمی صاف نشست و مثل یک کلاس سومی حرف شنو گوش داد.

ـ همان‌طور که می‌دانید کلاس آقای تاد، کلاس سوم ت، این هفته تعداد بسیار زیادی بطری جمع کرده تا برای جنگل‌های استوایی پول جمع کند. این پول، از طرف مدرسه‌ی ما، صرف کاشتن درخت توی جنگل استوایی

کودکان در کشور کاستاریکا می‌شود. با تشکر از کلاس سوم ت، مدرسه‌ی ما ۱۹۶۱ عدد بطری جمع کرده. یعنی با این مقدار می‌شود برای کمک به نجات جنگل‌های استوایی، نودوهشت درخت کاشت.

نودوهشت تا! یک‌هو جودی یاد پول‌هایی افتاد که پدرش برای این کار داده بود. دو دلار دیگر، یعنی دو درخت بیشتر. صد درخت! بچه‌های کلاس سوم ت از خوشحالی دیوانه شده بودند، بالا و پایین می‌پریدند، دست می‌زدند، مثل جغدها هوهو می‌کردند.

ـ ما می‌خواهیم امروز، در مراسم مخصوصی در ساعت ۲:۳۰، تشکر و قدردانی خودمان را به کلاس سومی‌های‌مان نشان بدهیم. این مراسم برای همه‌ی ما فرصت خوبی است تا از این عزیزان تشکر کنیم و به آن‌ها بگوییم که چقدر به کار و تلاش و زحمتی که برای انجام چنین کار خیری کشیده‌اند، افتخار می‌کنیم.

خانم توکسیدو ادامه داد: «امروز ناهار ساندویچ گوشت و سس گوجه داریم. برای نمایشگاه روز دوشنبه‌ی مدرسه

۱۴۱

هم بلیت به فروش می‌رسد. لطفاً جودی دمدمی به دفتر مراجعه کند.»

جسیکا فینچ گفت: «اوه، اوه. جودی توی دردسر افتاده.»

آقای تاد گفت: «کسی توی دردسر نیفتاده. جودی قرار است که در مراسم امروز، کلاس ما را معرفی کند. چون هرچه باشد، او بود که ما را به فکر مدادهای‌مان انداخت و تا به خود بیاییم، دیدیم که داریم توی جنگل‌های استوایی درخت می‌کاریم. جودی برو دفتر و ببین خانم توکسیدو از تو می‌خواهند چه‌کار کنی.»

جودی بی‌آنکه در راهروهای سبز و بزرگ مدرسه بدود، با قدم‌های تند خود را به دفتر مدرسه رساند. نقاب‌های پاپیه ماشه که بیرون کلاس سومی‌ها بود، انگار به او چشمک می‌زدند. نقاشی‌های خود کلاس دومی‌ها می‌خندیدند. و گل‌های آفتاب‌گردان کلاس اولی‌ها راست و مغرورانه ایستاده بودند.

خانم توکسیدو جودی را به اتاق چندمنظوره برد. مدیر

به جودی نشان داد که کجای ردیف اول بنشیند و چه موقع روی صحنه برود.

ـ وقتی من صدایت می‌کنم که روی صحنه بیایی، چیزی برای کلاست به تو می‌دهم. تو آن را می‌گیری و به آن سرِ صحنه، پیش بچه‌های کلاس‌تان می‌روی.

جودی گفت: «یک تقدیرنامه است.»

مدیر مدرسه گفت: «یک هدیه‌ی غیرمنتظره است. خوشحال می‌شوید، حالا می‌بینید.» و چشمک زد.

جودی فکر کرد: «پس جریان این‌همه چشمک‌زدن این است.»

ساعت ۲:۲۵ دقیقه، کلاس آقای تاد با عجله خود را به اتاق چندمنظوره رساند. جودی سرِ جای خود در ردیف اول نشست.

اتاق تاریک بود. بعد پرده‌ها بالا رفت و نورافکن تنها روی صورت خانم توکسیدو روشن شد. همه دست زدند.

ـ دخترها و پسرها، امروز اینجا جمع شده‌ایم تا به کلاسِ سوم ت نشان بدهیم که چقدر به آن‌ها افتخار می‌کنیم. آن‌ها

مدرسه
ویرجینیا دِیر
طرح جمع آوری
بطری
شیر
بطری
بطری

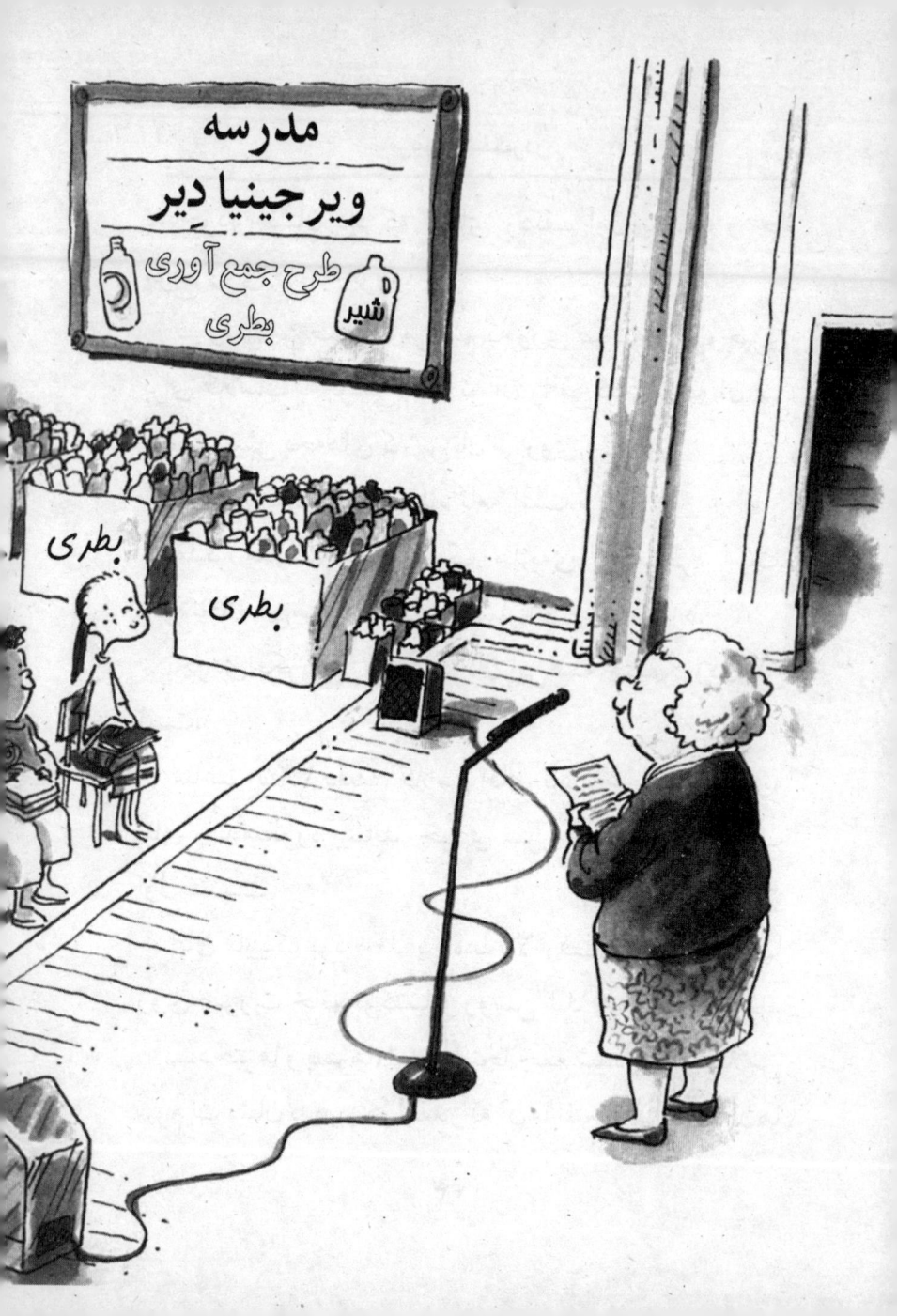

خروج

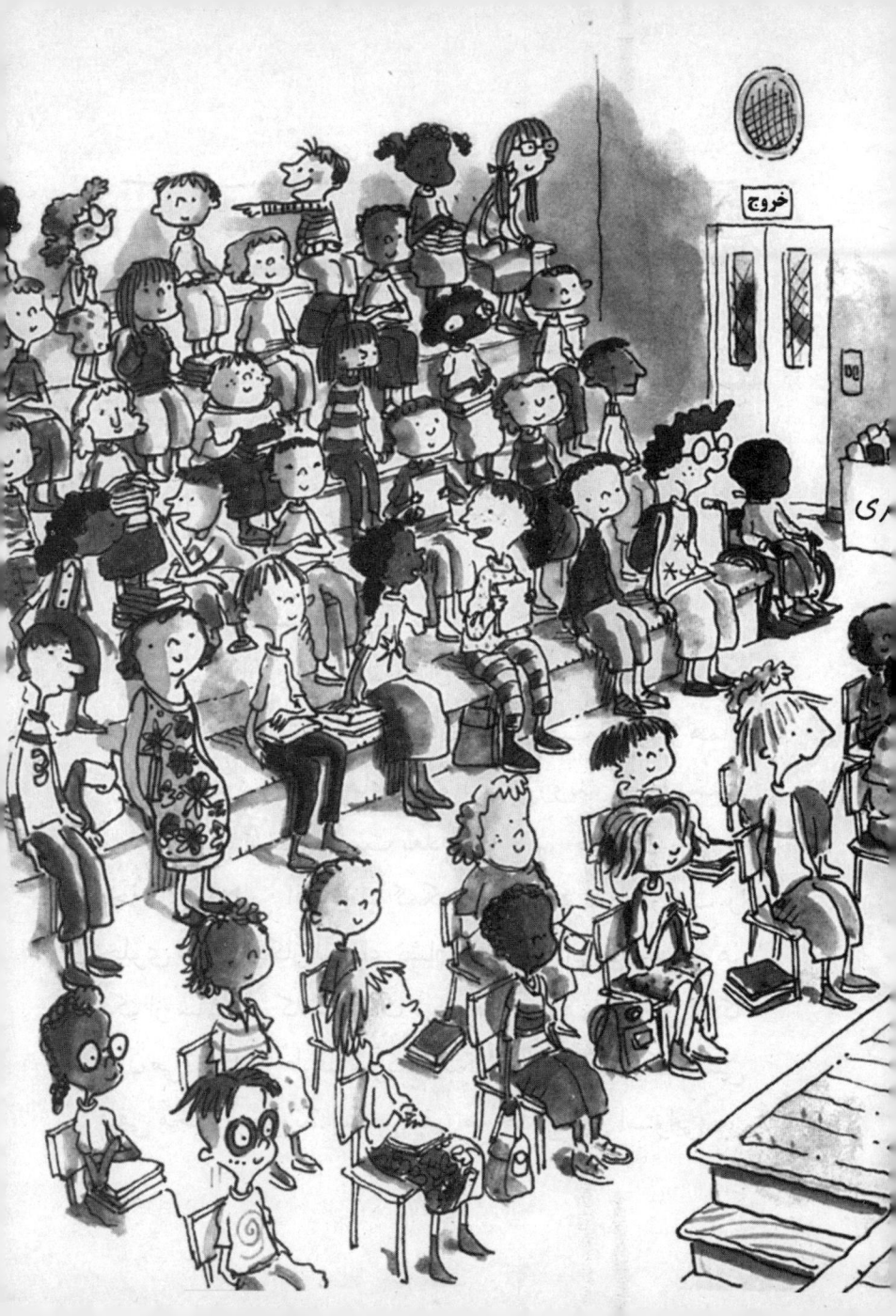

در طرح جمع‌آوری پول برای کاشتن درخت در جنگل استوایی کودکان در کاستاریکا، کار گروهی بی‌نظیری را انجام دادند. به‌خاطر کار آن‌ها، از طرف مدرسه‌ی ما، صد درخت کاشته خواهد شد. به قول مارگارت مِد، شک نداشته باشید که گروه کوچکی از مردم مشتاق و علاقه‌مند، می‌توانند دنیا را تغییر دهند. با تشکر مخصوص از کلاس سوم ت که کمک کردند تا دنیا را تغییر دهیم.

همه هورا کشیدند و بیشتر از قبل دست زدند.

ــ جنگلبان پاینر از سازمان پارک‌های منطقه، میهمان مخصوص ما هستند. این سازمان یک درخت سدر، از همان نوعی که توی جنگل‌های استوایی می‌روید، به مدرسه‌ی ما اهدا کرده است. درست بعد از مراسم، جنگلبان پاینر به بچه‌های کلاس آقای تاد کمک خواهد کرد تا درخت را جلوی مدرسه بکارند. برای نشان دادن قدردانی‌مان، من به هر یک از شاگردان کلاس، یک تی‌شرت می‌دهم و مجوزی که با آن می‌توانند، از طرف شرکت اسکریمین می‌می، یک بستنی قیفی مجانی بخورند. بستنی قیفی مه جنگل‌های استوایی.

پلاستیک را به
درخت تبدیل کنید

خانم توکسیدو پاکتی را در هوا
تکان داد و تی‌شرتی را بالا گرفت
که عکس درختی روی آن بود که
از بطری درست شده و زیرش با
حروف درشت نوشته شده بود:

پلاستیک را به درخت تبدیل کنید.

بچه‌های کلاس سوم ت بالا و پایین پریدند و بیشتر از
قبل هورا کشیدند. یک تی‌شرت نوشته‌دار! و مجوزی که
به آن‌ها اجازه می‌داد بستنی مجانی بخورند! نجات دنیا از
آنچه جودی فکر می‌کرد هم بهتر بود.

ـ اینجا کسی هست که ثابت کرده دوست تمام سیاره است
و من دلم می‌خواهد که روی صحنه بیاید... جودی دمدمی!

جودی برگشت و به آقای تاد نگاه کرد. او به جودی
اشاره کرد که روی صحنه برود.

جودی در روشنایی نورافکن ایستاد. سعی کرد در نور
شدید اخم نکند. او به تمام همکلاسی‌هایش که برای نجات
جنگل‌های استوایی کمک کرده بودند، نگاه کرد. آن‌ها

۱۴۷

برایش دست تکان می‌دادند و مثل میمون هوهو می‌کردند.

خانم توکسیدو ادامه داد: «معمولاً این جایزه مال یک کلاس پنجمی است، اما امروز فکر می‌کنم که تمام کلاس سومی‌ها شایستگی‌اش را دارند.»

جایزه! جودی شق‌ورق‌تر ایستاد.

ـ فعالیت گروهی کلاس سوم ت نه‌تنها به جامعه‌ی ما، بلکه به جامعه‌ی بزرگ‌تری کمک کرده. به سیاره‌ی ما، جهان ما. جودی دمدمی و کلاس سوم ت، اجازه می‌خواهم جایزه را از طرف کسی به شما بدهم که واقعاً جانش در خطر است. جایزه‌ی زرافه!

زرافه! جودی چیزی را که شنیده بود، باور نمی‌کرد. حتی به بهترین گوش‌های شنوای

کلاس سومی‌اش هم اطمینان نداشت. هر کسی وقتی به کلاس پنجم می‌رسید، دلش می‌خواست زرافه بشود. او، جودی دمدمی، در کلاس سوم یک زرافه شده بود.

خانم توکسیدو، مجسمه‌ی طلایی زرافه‌ای را به دست جودی داد و گفت: «بیایید با کلاس سوم ت دست بدهیم!»

بعد، تمام کلاس سومی‌های زرافه روی صحنه آمدند و کنار هم ایستادند و با تی‌شرت جدید درخت ـ بطری‌شان، عکس انداختند. دوربین‌ها تق‌تق صدا می‌دادند و فلاش می‌زدند. یکی از دوربین‌ها مال بابا بود!

بابا بالا آمد و جودی را بغل کرد و گفت: «من ماشین آوردم، فکر کردم شاید بتوانم کمک‌تان کنم و بعد از مدرسه بطری‌ها را به مرکز بازیافت ببریم.»

جودی گفت: «معرکه است!»

بابا گفت: «ما به شما افتخار می‌کنیم، بچه‌ها، به همگی‌تان.»

جودی لبخند زد. نه از آن لبخندهای ببر سیبریایی. یک لبخند واقعی. از همان لبخندهایی که دندان‌پزشک واقعاً دلش برای دیدن آن تنگ شده بود.

کلاس سوم ت دست به دست هم داده بودند تا تغییری ایجاد کنند. صد درخت جدید کاشته می‌شد که مثل چسب‌زخمی برای جنگل‌های استوایی بود. و او، جودی دمدمی، نقش کوچکی در نجات دنیا بازی کرده بود.

جودی وسط نظام زیست محیطی سوم ت ایستاد، جایزه را بالا برد و مثل یک زرافه‌ی واقعی، گردنش را کاملاً بالا کشید.